슬기로운
유치원 생활

슬기로운
유치원 생활

초판 1쇄 발행 2021년 1월 6일

지은이 | 김진희, 이미영, 이여빈, 이은주, 홍표선

발행인 | 최윤서
편집장 | 허병민
디자인 | 김수경
펴낸 곳 | (주)교육과실천
도서문의 | 02-2264-7775
인쇄 | 031-945-6554 두성 P&L
일원화 구입처 | 031-407-6368 (주)태양서적
등록 | 2018년 4월 2일 제2018-000040호
주소 | 서울특별시 중구 창경궁로 18-1 동림비즈센터 505호
ISBN 979-11-969682-6-7 (13370)

언택트 시대! 비접촉 놀이에서 온라인 수업까지

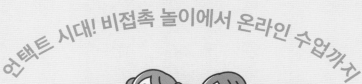

슬기로운 유치원 생활

김진희, 이미영, 이여빈, 이은주, 홍표선 지음

교육과실천

추천사

코로나19가 불러온 일상의 해체는 함께 모여 노는 것이 곧 삶이며 배움인 우리 유아들에게는 참으로 낯설고 고통스러운 일입니다. 우리 아이들이 선생님들, 친구들을 만나지 못하고 가정에 머무는 시간이 길어지면서 부모님들의 걱정이 깊어집니다. 우리 선생님들의 마음도 마찬가지입니다. 이런 위기 상황에서도 우리 새싹들의 배움과 성장을 지속하기 위한 좋은 방안이 없을까 모두가 고민하고 있겠지요. 마침 우리 세종시와 인천시의 유치원 교사 몇 분이 현장 교사들이 실천하고 있는 다양한 사례를 모아 주셨습니다. 감염병 예방을 위해 유치원 환경은 어떠해야 하는지 당장이라도 현장에서 활용할 수 있는 사례와 자료가 있습니다. 달라진 대면 수업 방식과 수업자료들, 비대면 온라인 수업을 위한 놀이꾸러미와 활용 사례도 담고 있습니다. 가정에서 아이들과 함께 무엇을 할까 고민하시는 부모님들께도 좋은 자료가 될 것입니다. 그리고 우리 유치원 공동체 서로가 서로에게 보내는 위로와 격려의 메시지도 담고 있어 사회적 거리두기로 인해 자칫 잊어버릴 수 있었던 연대의 소중함도 일깨워 줍니다. 어려운 시기에 소중한 경험을 공유해준 선생님들께 감사드리며 코로나19의 위기 속에서 우리 유아들의 배움과 성장을 고민하시는 모든 분께 좋은 나침반이 될 것이라 믿습니다.

- 최교진, 세종특별자치시교육감

우리의 지혜로움은 이렇게 빛을 내고 있습니다.

2020년을 우리는 함께 살았습니다. 그래서 어떤 상황에서 감염이 확산되는지, 어떤 상황에서 안전한지, 그래서 어떻게 방역 수칙을 지키면서 우리 아이들이 안전하게 생활할 수 있도록 지원할 수 있는지를 함께 배웠습니다. 이 책은 그렇게 배운 것들을 담은 매뉴얼을 차분하게 안내해줍니다. 그리고 그 매뉴얼에 대한 이해를 바탕으로 모두가 안전하고 행복할 수 있는 유치원의 교육환경을 만들 수 있다는 것을 말해줍니다. 코로나 같은 감염력이 높은 전염병 환경에서도 심리적, 정서적, 신체적, 인지적 발달을 어떻게 도울 수 있는지 차근차근 알려줍니다. 함께 어울려 노는 것이 참 중요한 과업인 연령기를 보내는 아이들이 거리를 두고 앉고, 개인 놀잇감을 골라서 놀아야 하고, 가림막을 세우거나 비대면으로 수업을 해야 하는 이 불운의 시기에 어떻게 하면 '놀이'를 훼손하지 않는 수업을 할지, 어떻게 하면 '어울림'을 방해하지 않는 놀이를 할지를 고민하고 대안을 만들어 풀어 놓습니다.

교사를 향한 말하기가 부모를 향한 말하기로 중첩되고, 부모를 향한 말하기가 교사를 향한 말하기로 중첩됩니다. 그 이유는 유치원에서 배움이 가정에서의 배움과 일치하며, 가정에서의 배움이 유치원에서 배움과 일치해야 한다는 저자들의 믿음 때문일 것이라고 저는 읽었습니다. 비접촉시대에 교사는 부모처럼, 부모는 교사처럼 아이들을 돌보고 가르치며 배우는 일을 하는 존재로 존재해야 함을 역설하고 있습니다.

이 책이 부모님과 교사들에게 널리 읽혀서 저자들의 지혜에 우리의 지혜와 수고를 더할 수 있기를 바랍니다. 많은 오해와 불신은 얕은 이해와 얄팍한 믿음에서 온다고 할 때, 이 책은 서로의 이해를 구하고 믿음을 구축하는 좋은 토대가 될 것입니다. 유치원 교사와 부모, 교사와 어린이, 부모와 자녀 사이에서 충분한 역할을 하리라 생각합니다.

언제나 겨울이 오는 것은 두렵지만, 겨울 다음에 봄이 온다는 믿음이 있어 찬바람 앞에 섭니다. 먼저 찬바람 앞에 서 있기를 주저하지 않은 이 책의 저자들에게 다시 한번 고마운 마음을 표합니다. 그 옆에 함께 서서 이 시기를 살아내면 벌써 봄은 저 앞에 있을 거라고 이 책이 손짓하는 듯합니다.

• 한희정, 실천교육교사모임 회장, 2020년 12월, 겨울의 끝을 보고야 말겠다는 다짐을 담아

. . .

코로나19는 '일상의 소중함'에 감사를 알게 해주었습니다. 지금은 이전과 다른 일상을 살아가고 있지만, 누구나 '건강과 안전, 행복'을 소망하는 마음은 이전과 같습니다. 팬데믹 상황의 혼란스러움을 지혜롭게 해결해나가기 원하는 마음이 이 책에 고스란히 담겨있습니다. 유아도 교사도 부모님도 행복하게 웃게 해줄 '길잡이'로 이 책을 추천해 드립니다.

• 정은주, 경북교육연수원 연구사

. . .

'코로나19'라는 회오리가 우리 삶을 바꿔 놓았습니다. 새롭게 등장하는 단어들 속에서 팬데믹 언택트 시대에 우리 아이들에게 무엇을 가르쳐야 할까요? 이 책은 팬데믹 시대에 꼭 필요한 놀이교육 방법의 길잡이가 될 수 있는 책이라고 자부합니다. 그러므로 진정 이 시대에 놀이의 가치를 인정해주시는 부모님들과 교사들에게 꼭 필요한 도서입니다. 뿐만 아니라 유아교육 현장과 가정에서 안전하고 즐거운 생활을 할 수 있도록 구체적인 매뉴얼을 제시한 점이 인상적입니다. 코로나19 시대에 유치원 교사와 학부모들에게 희망과 위로가 될 수 있는 이 한 권의 책을 추천합니다.

• 박진원, (사)인천유아교육자협의회 이사장

• • •

코로나19로 갑작스럽게 달라진 교육환경 앞에서, 당혹스러운 학부모와 유아, 교사들에게 유아교육의 길라잡이 도서가 출간됨을 진심으로 축하합니다. 그중에서도 바쁘다는 이유로 소홀했던 부모와 유아와의 관계 개선, 유아의 기본생활습관지도, 가족이 함께할 수 있는 놀이, 유치원에서의 놀이 형태, 부모와의 소통 방법, 유치원 운영 방법 등의 총체적 접근은 감염병 시대에 나침반 역할을 할 수 있는 도서로 교사와 학부모들에게 큰 도움이 되리라 믿습니다.

• **장명순, 인천 화전유치원 원장**

• • •

마지막 장을 덮었을 때 눈물이 흐르고 있었습니다. 코로나19라는 전 인류적인 운명 앞에서 유치원 선생님들이 풀어낸 이 이야기는 베토벤 교향곡 5번 운명과 같았습니다.

1악장은 인류의 운명을 뒤흔드는 코로나19에도 압도되지 않고 문제를 인식하고 분석하고 민주적으로 협의해서 매뉴얼을 만드는 과정을 담담하게 보여줍니다. 큰 위험 앞에서 놓치기 쉬운 아이들의 욕구와 감정을 먼저 깊게 살핍니다.

2악장은 안전하고 행복한 유치원 환경을 만들기 위해 물리적 환경과 인적 환경 그리고 정서적 환경을 만드는 과정을 보여줍니다. 코로나19로 인해 교육이 크게 변하고 다양한 기술들이 대체할 것 같다는 일반적인 분위기와 다르게 교육의 기본인 사람과 마음 그리고 그들이 머무는 공간을 따뜻하면서도 세심한 시선으로 바라봅니다. 제시하는 방법과 자료는 선생님들이 실천하고 있는 것들이어서 매우 실질적이기도 합니다.

1악장에서 안전과 행복을 위한 기본 매뉴얼을 바닥에 깔고, 사람과 마음 그리고 공간을 세우는 과정을 담은 2악장에 이어서, 3악장에서는 유치원에서 대면으로 이루어지는 수업에 대한 이야기가 펼쳐진 다음, 어린아이들과 함께 온라인 수업을 실천한 이야기와 구체적인 방법을 보여줍니다. 놀이 중심으로 이루어지는 유치원 교육과정이 코로나19에도 흔들리지 않고 대면 수업만이 아니라 온라인으로도 이루어질 수 있다는 것에 놀랍니다. 아울러 유치원만이 아니라 그 역할이 커진 가정에서도 실천할 수 있는 방법 그리고 교사와 학부모가 소통하는 방법까지 매우 체계적이고 실질적인 도움을 주면서 4악장을 마칩니다.

교향곡을 감상하고 벅찬 가슴으로 자리를 일어나려고 할 때 부록에 담긴 작은 목소리가 있습니다. 아이들의 재잘거림과 먹빛 눈망울, 안아주고 함께 놀던 날들을 그리워하는 여러 사람의 목소리가 들립니다. 교육감, 교사, 방과후교사, 장학관, 연구사, 원장, 아빠, 엄마, 교수, 이사장 그리고 아이들이 서로가 서로를 응원하고 있습니다. '영양사, 조리사 선생님도 건강하시고 코로나 걸리지 마세요. 걸리면 아프고 속상하니까요' 라고 삐뚤빼뚤한 손글씨로 쓴 김규한 어린이의 마음이 전해지면서 왈칵 눈물이 났습니다. 4악장까지의 놀라운 지혜와 더불어 마지막에 서로가 서로에게 속삭이는 이 목소리들은 그 어떤 음악보다 아름답고 눈물겨웠습니다. 그 마음이 있기에 희망이 있는 것입니다.

• 정유진, 사람과교육연구소 대표

· · ·

교사들이 애써 준비한 10여 분간의 영상이 아이들의 하루를 대체할 수 없음을 알기에 팬데믹 시기 아이들에게 어떤 교육적 지원을 할 수 있을지 늘 막막하기만 합니다. 이 책에서는 선생님과 같은 고민을 가지고 현장에서 감염병에 대처하는 다양한 방법을 이야기합니다. 계획부터 환경구성까지 내가 놓치는 부분은 없는지 살펴볼 수 있고, 대면 수업과 온라인 수업에 대한 정보도 얻을 수 있을 거라 생각합니다.

• 정유진(긍정의 씨앗을 심는 그래쌤), 『놀이중심 교육과정』 저자

감염병 시대 그리고 평상시에도 가정과 유치원에서 알아두면 좋을 다양한 내용이 담겨 있습니다. 생활지도부터 놀이 방법까지 구체적이고 체계적으로 실천할 수 있는 팁이 많이 담겨있어 유치원, 어린이집의 교사뿐만 아니라 부모님들도 함께 보면 좋을 것 같아요. 유치원과 가정에서 우리 아이의 올바른 성장을 지원하는 데 보다 슬기롭고 즐거운 생활지도 방법을 제안해주는 고마운 책이 될 듯합니다.

• 이정화, 종촌유치원 교사

만나지 못하는 아이들, 막막하기만 한 원격수업. 코로나19로 인해 우리는 처음 겪어보는 상황에 혼란스러울 수밖에 없었습니다. 이 책은 장기화되는 상황에서 여러 유아교육 현장에서의 교육적 고민과 대처를 담아내며, 우리가 한 걸음 앞으로 나아갈 수 있도록 안내합니다. 모든 것이 낯설어 막막한 시간 가운데도 교사들에게 교육의 본질을 잃지 않고, 관계를 맺고 소통할 수 있는 방향성을 제시하고 있습니다. 어울리지 않을 것 같던 거리두기와 놀이부터 원격수업까지 구체적인 매뉴얼과 사례를 담고 있어 대면 수업과 온라인 수업 속에서 길을 잃은 선생님들께 도움이 될 것입니다.

• 서혜승, 수성초등학교병설유치원 교사

교육과정의 변화에 따라 현장에서도 놀이중심을 실천할 수 있도록 준비했건만, 사회성 발달을 도모할 수 있는 가장 좋은 시기에 아이들은 예상치 못한 환경적 문제로 개별놀이와 온라인 교육, 그리고 미디어와 친숙해지고 있습니다. 해당 도서는 변화된 현실을 받아들이되, 그 과정이 가르침이 아닌 놀이가 되길 바라는 교사들 및 가정에서 아이와 함께 전인교육을 지도해야 하는 부모들에게 좋은 길잡이이자 지표가 될 것입니다.

• 하유쌤, 유아교육 블로그 '하유쌤의 꿈꾸는 캔버스'

· · ·

코로나19라는 처음 마주하는 혼란 속에서 우리는 모두 신규교사가 되었습니다. 이 책은 팬데믹의 현실 상황에 맞게 놀이중심교육과정을 잘 실천하기 위한 구체적인 방법들과 사례들이 담겨 있습니다. 거리두며 놀이하기, 개별놀이, 유치원 원격수업 등 유치원에서는 모두 불가능할 것만 같았던 일들입니다. 감염병이 장기화되는 안타까운 상황이지만, 이 책의 여러 가지 놀이와 사례로 건강하고 행복한 교실을 운영해보려고 합니다. 언제 어디서나 아이들과의 행복한 놀이를 꿈꾸는 선생님들께 좋은 안내서가 될 것이라 생각합니다.

• 함께로운연구회 https://blog.naver.com/roun2020

· · ·

2020년의 시작 갑자기 찾아온 코로나19. '금방 괜찮아지겠지'라고 생각했던 마음과 다르게 어느새 한 해가 다 가버렸습니다. 사상 초유의 5월 개학과 모든 외부활동 취소, 긴급돌봄 운영, 어느 것 하나 낯설지 않은 것이 없었습니다. 이러한 상황 앞에서는 신규 교사와 경력 교사, 관리자, 학부모 모두 서툴 수밖에 없었습니다.
그러나 선생님들은 변화하는 환경에서의 새로운 유치원을 준비하고 있었습니다. 가정에서 할 수 있는 것과 유치원에서 준비해야 할 것, 막막한 학부모들과의 소통까지, 새로운 시대의 유치원을 준비하고 대비할 수 있는 A부터 Z까지 모든 것이 담겨 있습니다. 코로나19가 아닌 또 다른 위기가 닥치게 된다고 하더라도 이 책과 함께라면 많은 도움을 받고 이겨낼 수 있을 것이라는 생각이 듭니다.

• 송가현, 새뜸유치원 교사

• • •

2020년, 겨울방학 이후로 끝날 것만 같았던 방학이 이렇게 길 줄은 꿈에도 생각하지 못했다. 이 와중에 단비가 내리듯 4월부터 흰민들레샘과 줌(ZOOM)으로 온라인 유치원이 시작되었다. 아이는 '뚫어져라' 작은 화면을 통해 선생님과 아이들과의 소통을 기다렸다. 작은 화면이 오아시스인 양 마른 목을 축이는 시간이었다. 아이들 수업보다 더 많은 시간을 부모교육으로 함께해주신 선생님. 그때 나눠주신 소소한 팁들과 육아의 큰 그림들을 이 책에 동일하게 담아주셨다.

'집콕' 유치원 이후에 대면 수업이 진행되면서 가장 궁금했던 것이 유치원 생활이었다. 부모들은 방역으로 인해 참여수업이 없었던 일 년이었다. 이 책을 통해서 아이들을 위해 선생님들이 준비하신 교실 풍경을 충분히 상상해보았다. 책 안의 교실 풍경을 보면서 섬세하게 방역을 위해 준비하신 선생님들의 손길과 그 울타리 안에서 잘 적응하며 놀고 있는 아이들의 모습이 보였다.

일하면서 맡기고, 데려왔던 하루의 반복되는 일상 가운데 이 책은 소중하고 감사한 이들을 생각나게 해주었다. 오늘 유치원 하원 길에는 우리 선생님과 아이에게 감사의 맘과 사랑의 맘을 각각 전해봐야겠다.

• 예원맘, 세륜초등학교병설유치원

이 책을 읽기 전에

1. 유아교육 기관과 가정이 서로 이해하고
협력하기를 바라는 마음으로 이 책을 썼습니다.

아이는 가정에서 부모와 지내고, 유아교육 기관에서는 교사와 함께 지내고 있습니다. 부모는 양육을 위해 양육 관련 서적을 보며 보육에 힘을 쓰고, 교사는 유아교육 관련 전문 서적을 보며 교육에 힘을 씁니다. 아이가 바르게 성장하도록 하기 위해서는 가정과 유아교육 기관의 연계가 중요합니다. 부모는 아이의 가정 생활을 잘 알고 있지만, 유아교육 기관의 생활을 잘 모르고 궁금해합니다. 교사도 마찬가지로 아이의 유아교육 기관의 생활을 잘 알지만, 가정의 생활을 볼 수 없어 아이의 이야기에만 의존하게 됩니다.

아이의 올바른 성장을 지원하기 위해서는 교사는 부모에게 유아교육 기관에서의 상황을, 부모는 교사에게 가정의 상황 및 여건을 설명하고 서로를 이해하는 자세가 필요합니다. 코로나19와 같은 감염병 위기 상황에서 아이들의 안전하고 건강한 발달을 위해 가정과 유아교육 기관이 서로의 교육을 이해하고 일관성 있는 교육의 적용이 이루어지도록 안내하기 위해 이 책을 집필했습니다.

2. 유치원과 가정에서 똑같은 것을 반복해서 가르치면
아이가 지루해하지 않을까요?

가정에서는 부모나 형제자매와 생활 및 놀이를 하게 되고, 유아교육 기관에서는 교사나 또래 유아들과 생활 및 놀이를 하게 됩니다. 똑같은 활동도 대상이나 상황이 달라지면, 아이들은 상황에 따른 대처 방법이나 창의력이 다르게 나타날 수 있습니다. 아이들은 '무엇을 놀이하는가?' 보다는 '누구와 함께 어떻게 놀이하는가?' 가 더욱 중요합니다. 오히려 유아교육 기관에서 했던 놀이를 가정에서도 연계하여 놀이한다면 더욱더 적극적이고 즐겁게 경험하게 될 것입니다.

3. 유아교육 기관의 특성과 여건에 따라
교육의 내용과 실천 방법은 다를 수 있습니다.

당연히 유아교육 기관의 특성과 여건에 따라 교육의 내용과 실천 방법은 다를 수밖에 없습니다. 그러므로 각 기관마다 실정을 고려하여 최선을 다해 운영하고 있습니다. 이 책에서 소개하는 매뉴얼은 유아교육 기관과 가정에서 감염병을 지혜롭게 이겨내기 위한 방법을 안내하기 위해 여러 유아교육 기관과 가정에서 실천했던 좋은 사례를 모았습니다. 소개하는 놀이를 가정에서 완벽하게 실천하기 보다 가정의 상황과 여건에 맞추어 적절하게 해볼 수 있을 것입니다. 유아교육 기관의 교육과정과 운영이 궁금하신 부모님은 유아교육 기관이 잘 운영될 수 있는 입장을 고려하여 동반자의 자세로 친절하게 문의해 주시기를 부탁드립니다.

차 례

1장. 모두가 행복하고 안전한 매뉴얼

2장. 안전하고 행복한 환경 만들기

3장. 교육으로 감염병을 극복하다 1 _ 대면 수업

4장. 교육으로 감염병을 극복하다 2 _ 비대면(온라인) 수업

들어가는 말

　유아교육 기관은 유아와 교사 그리고 부모가 함께 소통하고 교류하는 공간입니다. 유아와 교사가 매일 만나서 소통하고, 부모와 교사가 유아의 올바른 성장을 위해 서로 협력하도록 돕는 것이 유아교육 기관의 역할입니다.

　그러나 갑자기 우리에게 찾아온 코로나19로 인해 우리 모두는 유아교육 기관이 제 역할을 감당하지 못하면 어쩌나 하는 깊은 고민에 빠져 있습니다. 온 나라가, 그리고 온 세계가 이전과는 많이 다른 새로운 세상을 살아가게 되었습니다. 감염에 대한 두려움 때문에 유아교육 기관에 등원하지 못하고 가정에 머물러 있거나, 같은 공간에 있더라도 멀리 떨어지는 것이 상대방을 위한 배려이며 서로의 안전을 위한 행동 수칙이 되었습니다. 아이들이 있어야 할 교육 현장에 아이들이 모이지 못하는 세상이 올 것이라고 그 누구도 예상하지 못했습니다. 특히 모든 교육의 기초가 되고 더 나아가 사회성을 기르는 데 중점을 두는 유아교육에는 더 치명적일 수밖에 없습니다.

　만나고 싶은 사람들을 원하는 장소에서 만나고, 반가우면 악수나 파이팅도 하고, 운동도 마음대로 하고…. 이처럼 일상에서 자연스럽게 이루어지는 것들을 이제는 고민해야 하며, 안전을 위해 한 번 더 생각하고 행동해야 합니다. 교육기관에서 바라본 세상은 코로나19 이전과 이후가 더 많이 달라졌습니다. 등원부터 귀가까지 이전과 달라진 모습을 보면서 더 이상 우리가 살았던 세상으로 다시 돌아갈 수 없을 것 같은 두려움과 포스트 코로나19를 대비해야 한다는 긴장감이 공존하고 있습니다.

코로나19가 발생하기 전에는 유아들이 서로 떨어져서 각자 놀이하면 '왜 혼자 놀지?', '친구 사귀는 게 힘든가?' 라는 생각에 같이 모여 놀기를 더 권유했습니다. 또한 식사 시간에는 대화를 하며 즐거운 분위기에서 식사를 했습니다. 강당은 신나게 뛰어놀면서 즐거움을 만끽하는 장소였으며, 유아들이 좋아하는 바깥놀이는 매일 숨 쉬는 것과 같은 일상이었습니다. 그러나 코로나19로 인해 이 모든 것이 제약을 받게 되면서 아이들과 함께하는 교사 입장에선 그때가 무척이나 그립고, 일상의 소중함을 새삼 깨닫게 됩니다.

코로나19는 가정에도 많은 변화를 가져왔습니다. 가정에서 원격 수업하는 날이 많아지면서 원격수업에 대한 부담이 커졌습니다. 특히 직장 출근으로 인해 아이가 가정에서 원격수업을 제대로 하고 있는지 확인을 하기 어려운 부모님도 있습니다. 반면에 아이와 함께 지내는 시간이 늘어나면서 자연스럽게 대화를 통해 요즘 우리 아이가 무엇을 좋아하고 어떤 것에 관심이 많은지 더 많이 이해하게 되었습니다. 이외에도 코로나19 이전의 삶을 돌아보는 계기가 되어 필요 이상의 행동이나 어울림을 자연스럽게 정리할 수 있게 되었습니다.

지금까지 '교사'와 '부모'는 각자의 위치에서 최선을 다해 아이들을 가르치고 양육해 왔습니다. 현재 유치원 현장은 많은 혼란을 겪고 있지만, 더 이상 우리의 전문성이 제대로 발휘할 수 없는 아쉬움에 머물러 있을 수는 없습니다. 새로운 시대에 새로운 방법으로 우리의 전문성을 발휘하는 방법을 찾고, 준비해야 합니다.

비단 코로나19뿐만이 아닙니다. 종종 심심치 않게 발생하는 유아교육 기관에서의 식중독 사건과 수돗물에 대한 불안감 등의 사회 현상을 겪으며, 유아교육 기관과 교사 그리고 부모의 역할도 이전과는 다른 방법으로의 변화가 필요하게 되었습니다.

그동안에도 우리는 유아들의 안전을 위해 많은 역할을 감당해 왔지만, 앞으로는 우리의 아이들을 각종 위험으로부터 지켜야 하는 의무를 잘 감당해야겠다는 새로운 다짐이 더욱 요구되고 있습니다.

지금까지 우리는 준비되지 않는 상황에서 매우 혼란스러운 시기를 보냈다면 앞으로 우리를 위협하게 될 여러 가지 위험에 대해서는 좀 더 준비된 마음으로 대처해야 할 것입니다.

감염병에 대한 위험은 앞으로도 계속될 것입니다. 또 다른 감염병이 언제든 우리를 위협할 수 있기 때문에 안전하게 상호작용 할 수 있는 세상을 만들어가는 노력이 필요합니다. 지나온 기간에는 우리의 대처 방법이 막연하고 부족했다면, 앞으로는 안전한 환경을 만들어가고 교육의 내용을 보완하는 시간을 가지는 것이 필요합니다.

어려운 상황 속에서도 '유아 중심, 놀이 중심 교육과정'을 운영하기 위해 묵묵히 애쓰고 있는 교사들과 그 속에서 즐거움을 찾는 유아들이 있기에, 오늘도 두려움의 무게를 내려놓으며 마음에 숨어 있는 희망을 다시 꺼내 봅니다.

지금의 어려움 속에서 힘들게 살아가고 있는 우리 아이들과 부모들, 그리고 교육의 현장에서 많은 노력을 하고 있는 교사들에게 실제 도움이 되는 것이 무엇인지 고민하며 자료를 수집하게 되었습니다. 그리고 우리를 위협하게 될 감염병에 대해 실제적인 도움이 필요한 이때 감염병에 대해 올바르게 대처하고 극복해 나가기를 바라며 이 책을 썼습니다.

이 책은 다섯 부분으로 구성되었습니다.

Ⅰ. 모두가 행복하고 안전한 매뉴얼
Ⅱ. 안전하고 행복한 환경 만들기

먼저 실제 교육 현장에서 우리가 할 수 있는 교육적 접근을 통해 감염병으로부터 우리를 지키며 건강하게 지낼 수 있도록 안전을 위한 매뉴얼과 지침을 제안하고, 안전하고 행복한 환경을 위해 변화된 환경과 대처 방법을 제시했습니다. 그리고 감염병을 극복하기 위한 대면 수업과 비대면(온라인) 수업을 통해 가정과 유치원에서 교사와 부모가 서로 소통하며 교육할 수 있도록 손쉽게 활용할 수 있는 자료를 함께 제시했습니다. 마지막으로 감염병에 대해 각자의 입장에서 마음을 드러내고 이야기 함으로써 서로 위로하고 응원할 수 있는 내용을 담았습니다.

이 책이 아이들을 지키기 위해 애쓰는 부모와 교사들에게 위로를 주고, 앞으로 감염병에 올바르게 대처하고 준비하는 데 도움이 되기를 바랍니다.

우리 모두의 안전을 위해 어려운 시기를 잘 참아준 아이들과 학부모들, 그리고 무엇보다 교육의 현장에서 새로운 경험을 이어가는 선생님들의 노고에 감사드립니다.

유아교육에 깊은 관심을 갖고, 유아 교사들의 실천적인 교육에 힘을 실어주시기 위해 이 책을 출판해주시는 '교육과 실천'에도 감사의 마음을 전합니다.

저자 일동

코로나 이전의 환경_ Before COVID-19

유아들을 둘러싼 환경에 대해 우리의 바람은 늘 한결같았습니다. 편안함을 주는 환경, 창의적인 활동을 가능하게 하는 환경, 다른 사람과의 상호작용을 원활하게 해주는 환경, 자연적인 소재를 활용한 자연 친화적인 환경, 미적인 감수성을 길러주는 환경 등 유아에게 적합한 환경을 만들어주기 위해 노력해왔습니다.

코로나 상황에서의 환경_ In COVID-19

갑작스럽게 다가온 코로나19에 아무런 준비가 되지 않은 채 막연하고 실험적으로 대처해 오고 있습니다. 입학을 앞두고, 2주씩 개학 연기를 거듭해오다가 대면 수업과 비대면(온라인) 수업을 병행하고 있습니다. 서로 거리두기가 원활한 환경, 다른 사람과 대면하지 않고 학습할 수 있는 환경, 개인의 공간이 확보되는 환경 등 유아교육 기관에서의 일상생활을 어느 정도 포기하더라도 안전을 우선하는 환경이 필요한 시기입니다.

앞으로 추구해야 할 환경_ Post COVID-19

　그렇다면 우리는 이대로 머물러 있어야 할까요? 코로나19로 인해 우리의 주
변 환경에는 많은 변화가 생겼습니다. 우리는 감염병의 확산을 막기 위해 앞으로
어떻게 대처해야 하는지, 그리고 지속적으로 어떠한 노력을 해야 하는지 알게 되
었습니다. 우리는 그동안 유아들에게 안전한 환경을 제공하기 위해 많은 변화가
필요함을 느꼈었지만, 빠른 변화에 대해 외면하거나 선뜻 용기를 낼 수 없어 머
물러 있었다. 그러나 앞으로 안전한 환경을 제공하기 위해 더욱 노력해야 합니다.
　예를 들어, 마스크의 생활화, 가림막 설치, 생활 속 거리두기, 함께 사용하는 물
건 소독하기, 교실의 밀집도 낮추기 등과 같은 감염병에 대한 대처 방법의 지속
적인 변화가 필요합니다.
　코로나19 발생 이전으로 완벽히 되돌아갈 수는 없겠지만, 새롭고 다양한 감염
병이 우리를 위협할 수도 있기 때문에 안전하고 편안하면서도 사람들과의 상호
작용이 가능한 환경을 만들어가야 합니다. 지나온 기간 동안에는 우리의 대처가
막연하고 부족했다면, 코로나19를 발판 삼아 안전한 환경을 만들어가고 보완하
는 기회로 삼아야 합니다.

1장

모두가
행복하고 안전한
매뉴얼

코로나19 감염병으로 인하여 사회, 경제, 문화, 교육이 우왕좌왕 흔들리고 혼란스러웠습니다. 확진자 수의 변동에 따라 교육 현장에서는 여러 차례 교육과정이 바뀌면서 가정과 유치원에서의 어려움은 더욱 가중되었습니다. 유치원과 가정에서 이러한 혼란에서도 우리 자신을 지킬 수 있는 매뉴얼이 필요합니다.

행복하고 건강한
유치원을 위한 매뉴얼

　놀이를 통한 아이들의 성장을 지원하는 2019 개정 누리과정에 맞춰 2020년에는 아이들과 즐거운 놀이를 만들어보고자 기대하며 준비를 했지만, 감염병 예방을 위한 사회적 거리두기 때문에 대면 수업과 비대면 수업을 병행해야 하는 상황에서 어떻게 수업을 진행해야 할지 막막한 상황이 계속되었습니다.

　시대의 변화에 따라 아이들이 미래사회에 잘 적응해나갈 수 있도록 교사도 발맞추어야 합니다. 그러기 위해서는 교육철학과 신념이 담긴 자신만의 교육과정을 만드는 것이 필요합니다.

<감염병 예방 매뉴얼>

문제 인식하기	문제 분석하기	실천하기	평가하기
- 사회적 거리두기 단계 확인 - 감염병 예방 매뉴얼 참고	- 욕구 알아가기를 통한 문제 분석 - 학부모 설문 조사	- 민주적 협의 - 물리적, 정서적, 인지적 지원 전략 모색 - 안전하고 건강한 학급운영 실천	- 격려 및 지지 - 개선 방안 적용

자신만의 교육과정을 만들다 보니 지역과 지역 간 그리고 유치원과 유치원 간의 격차가 컸습니다. 심지어 같은 유치원 내에서도 교사마다 교육과정 운영 차이가 심하게 나타나기도 합니다. 그래서 교사는 교육의 방향을 잡기 힘들 정도로 혼란스러워집니다. 이를 해결하려면 교육의 본질을 파악하고 집단지성으로 해결하여 함께 성장하는 방향의 매뉴얼이 필요합니다.

문제 인식하기

문제 인식하기 단계에서는 사회적 거리두기 단계와 유아 감염병 위기 대응 매뉴얼을 참고하여 교육과정을 계획합니다. 이때 감염병의 상황에 따른 사회적 거리두기 단계와 감염병 예방 매뉴얼을 인식하고 함께 의논해보는 것이 필요합니다. 예를 들어, 전국 주 평균 확진자 수가 800~1,000명 이상이거나 2.5단계 상황에서 더블링 등 급격하게 환자가 증가할 경우 3단계 사회적 거리두기로 유치원에서는 원격수업으로 전환하고 필수 인력 이외 재택근무를 의무화해야 합니다.

오른쪽의 감염병 예방을 위한 사회적 거리두기 단계를 살펴보겠습니다. 보건복지부에서는 사회적 거리두기 단계를 확진자 수에 따라 단계별 거리두기 방법을 안내하고 있습니다. 이를 통해 다중시설 이용에 따른 아이들의 체험학습 가능 여부, 각 기관의 근무 인원에 따른 학부모의 긴급 돌봄 수용도를 파악할 수 있게 됩니다.

유아교육 기관에서는 코로나19 상황의 사회적 거리두기 단계뿐만 아니라 다양한 감염병 예방을 위해 교육부에서 고시된 감염병 대응 매뉴얼을 활용하여 교육과정 운영 계획을 융통성 있게 수정하여 운영할 수 있습니다.

대응 1단계에서는 먼저 감염병 증상 여부를 확인합니다. 유치원과 학급에 감염병 증상자가 없더라도 예방을 위해 유치원 안에서는 체온측정, 건강 상태 자가

<보건복지부 사회적 거리두기 단계>

구분	1단계	1.5단계	2단계	2.5단계	3단계
	생활방역	지역적 유행 단계		전국적 유행 단계	
개념	생활 속 거리두기	지역적 유행 개시	지역 유행 급속 전파, 전국적 확산 개시	전국적 유행 본격화	전국적 대유행
상황	통상적인 방역 및 의료체계의 감당 가능한 범위 내에서 유행 통제 중	특정권역에서 의료체계의 통상 대응 범위를 위협하는 수준으로 1주 이상 유행 지속	1.5단계 조치 후에도 지속적 유행 증가 양상을 보이며 유행이 전국적으로 확산되는 조짐 관찰	의료체계의 통상 대응 범위를 초과하는 수준으로 전국적 유행이 1주 이상 지속 또는 확대	전국적으로 급격하게 환자가 증가하여 의료체계 붕괴 위험에 직면
기준	• 주 평균 일일 국내 발생 확진자 수 - 수도권 100명 - 충청, 호남, 경북·경남권 30명 - 강원, 제주 10명 미만	• 주 평균 일일 국내 발생 확진자 수 - 수도권 100명 - 충청, 호남, 경북·경남권 30명 - 강원, 제주 10명 이상 • 60대 이상 주 평균 일일 확진자 수 - 수도권 40명 - 충청, 호남, 경북·경남권 10명 - 강원, 제주 4명 이상	세 가지 중 하나 충족 ① 유행권역에서 1.5단계 조치 1주 경과 후 확진자 수가 1.5단계 기준의 2배 이상 지속 ② 2개 이상 권역에서 1.5단계 유행 1주 이상 지속 ③ 전국 확진자 수 300명 초과 상황 1주 이상 지속	• 전국 주 평균 확진자 400~500명 이상이거나, 전국 2단계 상황에서 더블링 등 급격한 환자 증가 ※ 격상 시 60대 이상 신규 확진자 비율, 중증 환자 병상 수용 능력 등 중요하게 고려	• 전국 주 평균 확진자 800~1,000명 이상이거나 2.5단계 상황에서 더블링 등 급격한 환자 증가 ※ 격상 시 60대 이상 신규 확진자 비율, 중증 환자 병상 수용 능력 등 중요하게 고려
핵심 메시지	일상생활과 사회 경제적 활동을 유지하면서 코로나19 예방을 위하여 방역수칙 준수	지역유행 시작, 위험지역은 철저한 생활방역	지역유행 본격화, 위험지역은 불필요한 외출과 모임 자제, 다중이용시설 이용 자제	전국 유행 확산, 가급적 집에 머무르며 외출·모임과 다중이용시설 이용을 최대한 자제	전국적 대유행, 원칙적으로 집에 머무르며 다른 사람과 접촉 최소화
등교	밀집도 2/3 원칙, 조정 가능	밀집도 집도 2/3 준수	밀집도 1/3 원칙 (고교 2/3), 최대 2/3 내에서 운영 가능	밀집도 1/3 준수	원격수업 전환

평상시 감염병 대응 흐름도

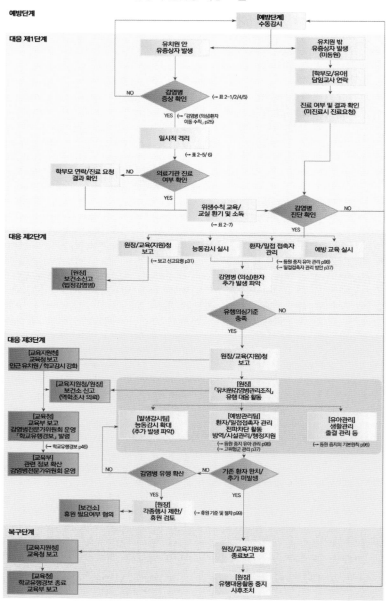

출처 : 유아감염병 예방·위기 대응 매뉴얼. 2018. 교육부 참조

진단 등을 통해 관리하고 위생교육과 교실 환기 및 소독을 철저히 합니다. 등원하지 않는 아이들의 경우에도 학부모와 연락하여 아이들의 건강을 체크합니다.

아이에게 감염병 증상이 나타나면 즉시 일시적 관찰실로 이동하여 격리를 한 다음 교실 환기 및 소독을 실시합니다. 아울러 학부모에게 연락하여 의료기관 진료 여부를 파악합니다. 만약 의료기관에 가지 않았다면 진료를 받을 수 있도록 학부모에게 안내합니다. 감염병 진단이 확인되면 대응 2단계로 들어갑니다.

대응 2단계에서는 감염병이 더 확산되지 않도록 좀 더 능동적으로 관리해야 합니다. 먼저 환자는 등교를 중지하여 관리하고, 밀접접촉자도 자가 격리를 통하여 관리를 하도록 합니다. 꾸준히 예방교육을 하는 것은 물론이고 원장과 교육청에 보고를 합니다. 원장은 법정감염병 발생 경위에 대한 내용을 보건소에 신고합니다. 또한, 감염병 의심환자가 추가로 발생하는지 파악하여 유행의심기준에 충족한다면 대응 3단계로 들어갑니다.

대응 3단계에서 유치원은 '유치원 감염병 관리 조직'을 발생감시팀, 예방관리팀, 유아 관리팀 등으로 조직하여 유행 대응 활동을 실시합니다. 감염병이 확산되고 있다면 원장은 각종 행사를 제한하고 보건소와 협의하여 휴원을 검토합니다. 기존 환자가 완치되고 추가로 발생하지 않는다면 원장은 교육지원청에 종료 보고를 합니다.

욕구 알아보기를 통한 문제 분석

코로나19와 같은 예기치 못한 감염병이 발생했을 때 인간은 건강과 안전의 욕구가 더 강해집니다. 인간의 욕구를 반영하여 건강하고 안전한 학급운영을 위해 매슬로가 제시한 욕구 위계설과 관련해 감염병 및 안전을 살펴보겠습니다.

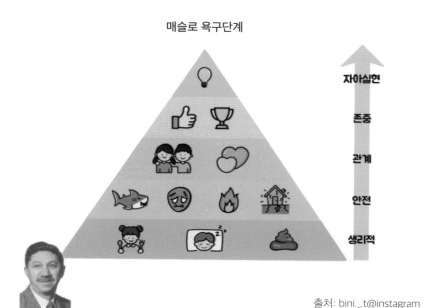

매슬로 욕구단계

자아실현
존중
관계
안전
생리적

출처: bini._.t@instagram

건강 및 안전의 욕구

감염병이 발생하게 되면 사람들을 만나는 것조차 어려워지고 아이들은 유치원에 와서 놀이하는 시간도 줄어들게 됩니다. 학부모는 아이들이 외부인들과의 접촉으로 인해 감염될까 봐 우려되기도 합니다. 특히 교사 입장에서는 수업을 하다가 감염병에 전염될까 봐 두렵기도 하고 혹여나 자신이 감염병에 걸려 아이들에게 감염병을 확산시키지는 않을까 걱정되기도 합니다. 그러다 보니 아이들의 건강과 안전에 치중하여 지도를 하게 되는 경향이 있습니다. 예를 들면 '마스크를 잘 써야 한다', '사회적 거리두기를 해야 한다' 등의 요구나 잔소리가 많아지게 되어 아이들의 관계나 정서적 지원을 할 심적 여유가 없거나 소홀하게 될 수도 있습니다.

관계 및 정서적 욕구

가장 중요한 기본적인 생리적 욕구와 안전의 욕구를 충분히 충족할 수 있도록 지원하고, 관계의 욕구가 충족되도록 적절하게 정서적 지원을 합니다. 아이들의 입장에서는 마스크를 쓰고 온종일 교실에서 놀이하는 것이 육체적으로나 정신적으로 힘이 들 것입니다. 이때 교사가 정서적으로 '마스크 쓰고 놀이하려면 힘들 텐데 꾹 참고 놀이하는 모습을 보니 너무 대견하다'라고 아이의 행동과 마음을 이해하고 공감해줍니다. 또한 아이의 부모에게도 마스크를 잘 쓰고 놀이하고 있다고 알려주어 학부모의 마음에 안정을 주고, 학부모에게도 아이의 행동을 칭찬할 수 있도록 안내합니다.

존중 및 성장(자아실현)의 욕구

자신의 몸을 보호하기 위해 마스크를 잘 쓰고 교실에 생활하는 것뿐만 아니라 존중 및 성장발달을 위한 다양한 놀이감을 제공하며 개별놀이를 지원하고 지지해주는 것이 필요합니다.

설문조사를 통해 학부모 의견을 수렴하여 교육과정에 반영합니다.

학부모 설문에 담겨야 할 내용
- 등원 및 긴급 돌봄 운영 여부
- 온라인 수업 운영 여부
- 급식 및 간식 여부
- 위생을 위한 양치지도 여부

코로나19 대응 교육과정 운영계획 수립을 위한 설문

1. 교육과정이 어떤 형태로 운영되기를 원하십니까?

   ① 전면 등교 수업   ② 등교 수업과 온라인 수업 병행 운영

2. 등교 수업과 온라인 수업 병행을 선택한 경우 주당 비중은 어느 정도가 적
   당하다고 생각하십니까?

   ① 등교 수업 주 1일, 온라인 수업 주 4일   ② 등교 수업 주 2일, 온라인 수업 주 3일

   ③ 등교 수업 주 3일, 온라인 수업 주 2일

3. 코로나19는 비말을 통해 감염되며 급식 시간에는 마스크를 벗어야 합니다.
   코로나19 감염 예방 차원에서 희망자에 한하여 급식을 운영한다면 단체
   급식에 참여할 의사가 있으십니까?

   ① 급식을 희망함(13시 귀가)   ② 급식을 희망하지 않음(12시 귀가)

4. 코로나19는 비말을 통해 감염되며, 이를 예방하기 위하여 유치원에서 이
   닦기를 생략하는 것에 대하여 어떻게 생각하십니까?

   ① 이 닦기를 원함   ② 이 닦기 생략하기를 원함

5. 코로나19를 예방하기 위하여 오전 간식, 오후 간식을 생략하는 것에 대해
   어떻게 생각하십니까?

① 오전 오후 간식을 모두 희망함 　　　② 오전 간식만 희망함

③ 오후 간식만 희망함 　　　　　　　④ 오전 오후 간식 모두 희망하지 않음

6. 온라인 수업 시 출석 확인 시점은 어느 것을 선호하십니까?

① 당일 출석 확인 　　　　　　　　② 주 단위 출석 확인

7. 온라인 수업 시 출석 확인 방법은 어느 것을 선호하십니까?

① 유선전화 　　　　　　　　　　② 문자 메시지

③ 온라인 콘텐츠(학교종이, 클래스팅, 키즈노트) 등의 댓글

※ 설문에 참여해주셔서 감사합니다.

학부모 설문지 예시자료 - 2

온라인 수업 운영계획 수립을 위한 학부모 의견 수립을 위한 설문

1. 휴업 중 제공된 온라인 교육자료(학교종이, 클래스팅, 키즈노트 등)를 얼마나 활용하였습니까?

① 대부분 활용하였다. 　　　　　　② 일부 활용하였다

③ 전혀 활용하지 않았다.

2. 휴업 중 제공된 온라인 교육자료는 얼마나 도움 되었습니까?

    ① 매우 도움이 되었다.   ② 어느 정도 도움이 되었다.

    ③ 도움 되지 않았다.

2-1. 온라인 교육자료는 어떤 점에서도 도움이 되었다고 생각하십니까? (중복 응답 가능)

    ① 자녀 교육에 적합한 내용구성   ② 매일 교육활동 제공을 통한 습관 형성

    ③ 담임교사의 피드백   ④ 학급 유아들 간 소통

    ⑤ 기타: _____

2-2. 온라인 교육자료가 도움이 되지 않았다면 어떤 점이 개선되면 좋겠다고 생각하십니까? (중복 응답 가능)

    ① 내용 이해의 어려움   ② 기기 조작의 어려움

    ③ 피드백의 어려움   ④ 기타: _____

3. 개학 후 확진자 발생 시 온라인 수업은 어떠한 방식으로 이루어지길 원하십니까? (중복 응답 가능)

    ① 콘텐츠 활용 중심 수업   ② 과제 수행 중심 수업

    ③ 기타: _____

4. 온라인 수업에서 제공하는 콘텐츠는 어떤 것을 선호하십니까? (중복 응답 가능)

    ① 교육부 및 교육청에서 제공한 온라인 콘텐츠   ② EBS 온라인 콘텐츠

③ 교사 자체 제작 콘텐츠   ④ 기타: _____

5. 온라인 수업 시 중점적으로 다루었으면 하는 교육활동은 무엇입니까? (중복 응답 가능)

    ① 신체놀이(운동, 게임, 신체 표현 등)   ② 그림책 및 동화 감상 후 사후 활동

    ③ 언어교육(말놀이, 글자놀이 등)   ④ 미술놀이(감각활동, 그리기, 만들기 등)

    ⑤ 음악놀이(노래 부르기, 악기연주, 음악감상 등)

    ⑥ 수과학 활동(수교육, 환경교육 등)

    ⑦ 안전 및 건강교육   ⑧ 기본생활습관 및 인성교육

    ⑨ 기타: _____

6. 온라인 수업 시 활동을 실시하고 난 결과에 대한 피드백 횟수는 얼마가 적당하다고 생각하십니까?

    ① 수시   ② 매일

    ③ 주 1회(예: 매주 금요일)

7. 온라인 수업 개선을 위해 가장 필요한 지원 사항은 무엇입니까? (중복 응답 가능)

    ① 다양한 자료 개발 및 제공   ② 유아활동에 대한 담임교사의 피드백

    ③ 학급 유아들 간의 소통   ④ 기타: _____

※ 설문에 참여해주셔서 감사합니다.

민주적으로 협의하여 실천하기

아프리카 속담 중에 '빨리 가려면 혼자 가고 멀리 가려면 함께 가라'는 말이
있습니다. 이렇듯 유치원 공동체 문화에서 함께 소통하고 서로 협력하여, 민주적
으로 운영을 하면 모두가 지혜롭게 문제를 해결할 수 있습니다.

민주적 협의를 통한 실천

코로나19처럼 감염병이 빠르게 확산되는 상황에서 충분한 협의 없이 다급하
게 업무를 처리하게 될 때가 있습니다. 이때 서로 원하는 방향이 달라 갈등 상황
이 야기되기도 합니다. 급할수록 돌아가라는 말이 있듯 전체 구성원의 소통과 협
력으로 운영되는 진정한 민주적 협의의 장이 필요합니다. 이를 위해서는 민주적
협의를 위한 몇 가지 원칙이 필요합니다.

민주적 협의 원칙
① 민주적 협의 원칙을 구성원이 함께 의논하여 만든다.
② 원칙에 근거하여 동료 간 신뢰를 가지고 우호적인 분위기에서 협의회를 실시
　 한다.
③ 모두가 동등한 발언권을 가진다.
　 - 목소리가 큰 소수보다 모두의 의견을 수렴하는 분위기 조성이 필요합니다.
④ 서로의 의견을 존중하고 배려하는 공동체 문화를 형성한다.
　 - 과제에 대해 적극적으로 참여할 수 있도록 함께 노력합니다.
⑤ 회의에서 결정한 사항은 모두가 책임감 있게 실천한다.
　 - 책임감 있게 실천하기 위해서는 공과 사는 구분하고 단기간에 결정을 내리
　　 고 성과를 거두려는 조급함에서 벗어나 과정에 칭찬하고 격려합니다.

<민주적 협의 내용 예시>

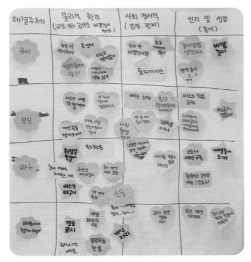
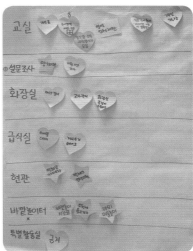

　먼저 각 구성원의 지원 방안을 함께 모색해봅니다. 교사 혼자서는 모든 것을 해낼 수는 없기에 먼저 교사 자신이 혼자서 할 수 있는 일과 할 수 없는 일을 구분합니다. 어떠한 상황이 발생했을 때 어깨에 큰 짐을 혼자서 짊어지고 가는 게 아니라 교사, 유아, 부모, 유치원 각각의 차원에서 스스로 할 수 있는 일들을 구분하여 함께 의논해나가면, 보다 효율적으로 유치원 운영을 할 수 있습니다. 유아, 부모, 교사, 유치원 차원에서 감염병 예방을 위해 스스로 해결할 수 있는 것들을 포스트잇에 적어보며 자유롭게 의사소통을 합니다.

　브레인스토밍을 통해 유아, 부모, 교사, 함께 해야 할 일들을 의논한 내용을 다음 표로 정리했습니다.

<민주적 협의에 따른 지원 방안 예시>

	물리적 환경 (교실, 복도, 급식실, 바깥 놀이, 특별실 등)	사회 정서적 (감정, 관계)	인지 및 성장 (놀이)
유아	▶ 사회적 거리두기- 거리두기 하며 이동, 급식실에서 떨어져서 앉기, 조용히 식사하기 ▶ 교실- 자리 스티커에 맞춰 앉기 ▶ 자신의 위생 철저히 (마스크 벗지 않기, 손 씻기)	▶ 정서- 그림책, 음악 듣기 ▶ 관계- 우리 반 인사법, 거리두며 함께 놀기	▶ 거리두기 하며 놀이 할 수 있는 방법 생각하기- 바깥 놀이, 따로 또 같이 블록놀이, 릴레이 미술놀이 등
부모	▶ 협조- 열 체크, 건강 상태 자가진단 ▶ 준비물- 여분 마스크, 개인 물통 ▶ 안전- 상시 연락 대기	▶ 정서- 아이 적응에 대한 기다림, 긴급 돌봄 이해, 칭찬 및 격려 ▶ 관계- 교사 노고 이해 및 유아 이해	▶ 사전에 교육과정의 어려움에 대한 이해 협조 안내문 발송 ▶ 다른 유치원과 비교하지 않기
교사	▶ 거리두기- 화장실 사용 인원 제한, 거리두기 스티커 부착, 놀이 공간 분리 및 확장 ▶ 위생- 개인 마스크 바구니, 마스크 걸이, 소독 및 환기	▶ 정서- 칭찬, 격려 ▶ 관계- 친구와 거리두며 놀이하는 방법 안내	▶ 놀이- 사회적 거리두기 놀이, 온라인 수업 지원(놀이꾸러미 외), 코로나 예방교육, 충분한 놀잇감 제공
유치원에서 함께 해결	▶ 거리두기- 경로 표시, 급식 시간 배분, 가림막 설치 ▶ 위생- 방역 인력 지원	▶ 정서- 교사 부모 간 칭찬·지지 ▶ 관계- 온라인 회식	▶ 개별놀이를 위한 인력 지원 ▶ 온라인 수업을 위한 행정적 지원

<민주적 협의 - 온라인 수업 회의록 예시>

일시	2020년 3월 27일(금)	장소	유치원 교무실
참석자	원장, 원감, 교사, 행정실장		
회의 주제	온라인 수업 운영계획		
주요 안건	1. 온라인 수업 운영계획 2. 온라인 수업 운영 내용		

회의 내용	원장	코로나19 확산으로 인해 온라인 수업 운영계획을 수립해야 하는데 어떤 것을 중심으로 준비해야 하는지 협의해 보도록 하겠습니다.
	원감	누리과정이 유아중심 · 놀이중심 교육과정으로 개정되었습니다. 따라서 코로나19로 인해 온라인 수업을 실시해도 2019 개정 누리과정을 기초로 안내해야 합니다.
	교사 1	네, 동의합니다. 가정과 연계하여 교육과정이 운영될 수 있도록 온라인 수업 시 유아중심 · 놀이중심 교육과정을 기반으로 준비하면 좋을 것 같습니다.
	교사 2	그렇게 하려면 2019 개정 누리과정에 대한 중요성을 안내문으로 발송해야 합니다.
	교사 4	맞습니다. 구체적인 방안을 부모님께 제시하여 가정에서도 유아와 놀이중심의 온라인 수업을 원활히 할 수 있도록 도와줘야 합니다.
	교사 3	온라인 수업을 시행하지 않을 때도 유치원에서의 놀이 상황을 매일 반별 클래스팅에 탑재하여 학부모님들도 놀이의 힘을 믿고 놀이 속 배움을 알 수 있도록 합니다.
	교사 5	맞벌이 가정이나 조부모 가정은 온라인 수업 참여가 어려울 텐데, 어떻게 하면 될까요?
	원감	특히 조부모 가정은 온라인 수업 참여가 어려울 것입니다. 담임교사는 자주 연락하여 온라인 수업을 참여할 수 있도록 독려해야 합니다. 또한, 참여하기 어려운 원인을 파악하여 전화상으로 놀이했는지 물어보거나 조부모께서 할 수 있도록 하나씩 직접 안내하면 좋겠습니다.
	교사 6	온라인 수업 시 유아들의 건강 상태는 어떻게 확인하면 되나요?
	행정실장	매일 클래스팅에 열 체크 결과를 올릴 수 있도록 안내하고, 교사는 매일 확인해야 합니다.
	교사 1	연락이 어려운 유아는 어떻게 해야 하나요?
	원감	아동학대를 의심해 봐야 하므로 아동학대와 관련된 매뉴얼에 따라서 대응하시면 됩니다.
	교사 2	매일 유아의 온라인 수업 여부 및 건강 등을 확인하여 출결 관리를 철저히 해야겠습니다.
	교사 4	유아가 온라인 수업을 했는지 어떻게 확인하면 될까요?
	원감	가정에서 온라인 수업을 한 후, 사진이나 동영상을 탑재하거나 놀이 기록을 간단하게 클래스팅에 남길 수 있도록 안내하면 됩니다.
	교사 3	온라인 수업으로 유아들이 가정에서 주로 생활하다 보니 유치원에 다시 왔을 때 생활지도가 매우 어려울 것 같아 걱정입니다. 따라서 가정에서도 지속적으로 생활지도를 할 수 있도록 매뉴얼을 만들어서 안내하면 좋겠습니다.
	행정실장	맞아요. 공감합니다. 이것뿐만 아니라 영상을 올릴 때도 유치원에서 자체 제작한 영상이므로 유포를 하지 않도록 가정에 안내해야 합니다.
	원감	네. 제작과 관련된 조항을 안내하여 적절하게 활용할 수 있도록 하면 되겠습니다.
	원장	선생님들의 좋은 말씀 감사합니다. 오늘 나온 내용을 바탕으로 온라인 수업을 계획하여 준비할 수 있도록 도와주시기 바랍니다.

건강하고 안전한 학급을 위해 유아의 감정을 이해하고 안전한 공간을 만드는 것이 필요합니다.

유아 감정 이해

감염병의 예방을 위한 사회적 거리두기로 인하여 유아교육 기관에 등원하는 시기나 시간이 변동됨에 따라 교사와 아이들은 평상시와 다름에 대해 혼란스럽습니다.

교사는 아이들이 안전하고 즐겁게 놀이를 하기를 바라지만, 아이들은 위기 상황에서 참아왔던 것을 분출하고 싶어 뛰어다니거나 공격적인 행동을 하기도 합

<내가 좋아하는 것과 싫어하는 것 예시>

니다. 또는 가정에 지낸 시간이 익숙해진 아이는 소심하게 행동하거나 유치원 생활에 적응을 어려워하기도 합니다.

이러한 아이들의 행동을 이해하기 위해서는 아이의 감정과 욕구들을 자세하게 알고 이해해야 합니다. 현재의 감정과 건강 상태를 파악하고, 아이들이 좋아하는 것과 싫어하는 것에는 어떤 것들이 있는지 살펴봅니다. 색깔, 음식, 말, 행동, 놀이 등에 대해 좋아하는 것과 싫어하는 것을 살펴보면 아이들의 성향을 파악할 수 있습니다. 자신이 좋아하는 색깔을 살펴보면서 같은 색깔이면 공감하기도 하고 다를 경우에는 질문을 통해 친구들에게 관심을 가지게 됩니다.

이러한 관심은 자기 자신에 대해서는 긍정적 자아개념을 가질 수 있게 되고, 친구에 대해서는 다름을 이해하고 존중하게 됩니다. 특히 친구와 사이가 좋을 경우 친구가 좋아하는 말과 행동은 더 하려고 노력합니다. 친구가 싫어하는 말과 행동은 스스로 조절해서 말하고 행동하기도 합니다.

건강하고 안전한 공간 만들기

아이들이 간헐적으로 유아교육 기관에 등원하는 경우 안정된 마음보다는 들뜬 상태로 있는 경우가 많습니다. 마음이 불안정할 때 공격적인 행동이나 위험한 상황이 발생합니다. 학급의 문제 상황을 예방하거나 대처하기 위해서는 건강하고 안전한 공간을 만들어야 합니다. 그러기 위해서는 교사와 아이들에게 필요한 학급운영 원칙을 세우는 것이 필요합니다.

안전하고 행복한 학급운영을 위한 원칙을 세우려면 어떻게 해야 할까요?

❶ 소명 의식과 가치관을 분명히 하여 소신 있게 지도한다.

교사로서 학급에 대한 자신만의 소명 의식, 가치관 등이 있을 것입니다. 외부의 지시 사항으로 교사의 가치관이 흔들리면 학급과 아이들도 흔들리게 됩니다. 자신의 가치관을 소신 있게 유지하고 그 가치관을 학급의 아이들과 공유하면 교사도 아이도 행복한 학급을 운영할 수 있습니다.

❷ 명확한 규칙을 가지고 일관성 있게 지도한다.

교사는 아이들이 안정감을 가지고 생활할 수 있도록 학급 내의 명확한 규칙과 허용한계를 설정하는 것이 필요합니다.

허용한계를 통한 학급 규칙 예
① 친구에게 피해를 주는 행동은 하지 않기(놀리기, 욕하기, 때리기, 빼앗기, 험담하기, 따돌리기, 거짓말하기)
② 교실에서는 걸어 다니기
③ 차례 지키기

학급의 안정감을 위해 아이들과 허용한계에 대해 이야기를 나누어본 다음 구체적인 규칙을 만들어봅니다. 함께 만든 규칙은 일관성 있게 지켜나가야 합니다. 또 규칙이 습관화될 수 있도록 구체적인 행동을 연습해봅니다. 교사는 아이가 행동을 조절하는 모습을 보였을 때 즉각적으로 칭찬하고 격려하기, 사진을 찍어서 공유하기, 토의 등을 통하여 올바른 행동이 유지될 수 있도록 도와줍니다.

❸ 장난과 폭력을 구분하고 잘못된 행동의 결과에는 책임이 따른다.

장난으로 시작했던 놀이가 과해지다 보면 폭력이 될 때가 있습니다. 서로 좋아해서 놀이가 되면 장난이지만, 다른 한쪽이 싫어하면 폭력이 될 수 있습니다. 아이들과 역할놀이나 토의 등을 통하여 장난과 폭력을 명확하게 구분하여 스스로 행동을 조절하는 것이 필요합니다. 또한 아이가 잘못된 행동을 했을 때 그 행동에 대한 책임이 따른다는 것을 아이 스스로 인식해야 합니다.

예를 들어, 지나가던 친구를 밀어 넘어뜨렸을 때 가벼운 말투로 '미안'이라고 말하며 지나가는 경우가 있습니다. 넘어진 친구는 속상한 마음에 정중하게 사과받고 싶은데, 가볍게 '미안'이라고 말하고 가는 친구를 보니 더 억울한 마음이 생겨나기도 합니다.

밀었던 친구는 자신이 잘못한 행동에 대해 스스로 책임감을 가지고 해결해야 합니다. 즉 넘어진 친구의 상황을 살펴보며 "내가 밀어서 미안해. 괜찮아?"(인정하기, 사과하기)라고 말하며 자신의 행동에 대해 사과를 합니다. 또 "내가 어떻게 하면 좋겠어?"(해결하기-책임)라고 말하며 자신이 잘못한 행동에 책임을 지고 해결할 수 있도록 노력을 합니다.

❹ 아이들이 문제 해결 기술을 배워서 스스로 해결하도록 돕는다.

학급의 갈등 상황에 대해 교사는 경찰이나 판사가 되어 해결해주려고 하는 경우가 있습니다. 하지만 아이들이 자신의 속상한 마음을 표현하고 문제 상황을 스스로 해결할 수 있도록 도와주어야 합니다. 그러기 위해서는 아이 스스로 문제 해결 기술을 사용할 수 있도록 역할놀이나 대화를 통해 지도합니다. 예를 들어, 친구가 자신의 후드티를 잡아 당겨서 넘어졌을 때 "○○아, 네가 내 모자를 잡아 당겨서 넘어졌어.(행동) 그래서 내가 아파서 속상해.(감정) 너에게 사과를 받고 싶어(바라는 마음)"라고 말할 수 있습니다.

❺ 아이나 교사가 스스로 해결할 수 없는 문제는 함께 해결한다.

아이가 문제 해결 기술을 썼는데도 잘 해결이 되지 않는 경우에는 교사 또는 유치원에 도움을 청하여 해결할 수 있도록 안내합니다. 교사 또한 자신의 문제를 혼자 가지고 있지 말고 반 아이들이나 동료, 학부모, 유치원 관리자 등과 의논하여 해결해나갑니다.

평가하기

　민주적 협의를 통해 소통하고 실천한 결과물을 가지고 모두 모여 좋았던 점, 아쉬웠던 점, 해보고 싶은 점 등에 대해 이야기를 나눕니다. 좋았던 점에 대해서는 칭찬하고 존중하며, 아쉬웠던 점은 함께 위로와 격려를 하는 시간을 갖습니다. 또 해보고 싶은 것을 이야기함으로써 다음 계획을 준비할 수 있으며 나아가 도전과 용기를 배우게 됩니다. 이러한 시간을 통해 각자의 전문성과 자신감 그리고 공동체성이 더욱더 향상됩니다.

행복하고 안전한
가정을 돕는 매뉴얼

인간은 나약하지만, 부모는 강하다는 말이 있습니다. 부모이기 때문에 하지 않아도 될 일을 용기 내어 도전해보기도 하고, 불가능한 일을 기적처럼 만들어내기도 합니다. 세상에 모든 부모는 대부분 자녀의 행복이 자신의 행복보다 더 기쁘고, 자녀의 존재가 삶을 살아가는 에너지이자 원동력이 됩니다. 감염병으로 인해 지치고 어려운 삶의 무게로 힘겨울 때도 있습니다. 자녀와의 행복한 삶을 위해 부모이기 때문에 어려움도 더 지혜롭게 극복해낼 수 있습니다.

위기를 기회로 삼아 가정에서 자녀를 슬기롭게 양육하는 방법에 대해 안내합니다.

가정 연계 기본생활 및 안전 지도법

사회적 거리두기 기간에는 가정에서 아이들을 보육하는 시간이 더 많아졌습니다. 부모는 가정에서 아이와 함께 지내는 시간이 길어지다 보니 아이의 생활 모습을 더 자세히 지켜보게 됩니다. 그리고 자녀의 생활지도에 신경 써야 할 부분도 더 많이 생기게 됩니다.

자녀가 스스로 척척 해내면 좋겠다는 바람으로 생활지도를 시작했지만, 부모의 과도한 가르침, 훈계, 잔소리 등으로 관계가 악화되기도 합니다. 부모는 자녀와 좋은 관계를 가지게 되고 아이는 좋은 습관을 가질 수 있는 지도 방법을 소개합니다.

일상생활지도의 정의 및 필요성

세 살 버릇 여든까지 간다는 속담이 있듯 기본생활습관은 우리가 살아가는 데 가장 기초가 되므로, 유아기 기본생활습관 형성은 어느 시기보다 매우 중요합니다. 기본생활습관 지도는 일상생활에서 기본이 되는 습관을 자연스럽게 만들어지도록 이끄는 일을 의미합니다.

이러한 생활습관지도는 왜 필요할까요? 아이들이 일상에서 기본적으로 하는 손 씻기부터 옷 입는 것 등 하나하나가 모두 뇌와 연결되어 있습니다. 손을 씻는 것은 손끝을 자극하여 인지 및 성장발달에도 도움이 되고, 위생과 건강에도 도움이 됩니다.

옷을 스스로 입는 것도 아이가 어떻게 하면 옷을 스스로 입을 수 있을지 생각해보면서 인지능력이 발달하게 되고, 손과 팔을 이용하여 옷을 입어봄으로써 대소근육의 운동능력도 발달됩니다. 또한 옷을 스스로 입어보고자 도전하고 노력하면 인내심과 자립심도 발달하게 됩니다. 이렇듯 손 씻기와 옷 입기, 신발 신기 등의 다양한 활동은 인지능력뿐만 아니라 아이의 성장발달을 촉진합니다. 따라서 아이의 바른 성장과 건강 및 안전을 위해 생활습관지도는 꼭 필요합니다.

생활지도의 7가지 원칙

아이에게 생활지도를 할 때 잔소리나 꾸중이 많아지는 것 같아 속상하기도 하고, 어떻게 지도해야 할지 방법을 몰라 힘들 때도 있습니다. 올바르지 않은 훈육 방법은 아이의 행동을 개선하기보다는 부모에 대한 두려움을 더 키울 수 있습니다. 이를 해결하기 위해 생활지도의 7가지 원칙을 소개합니다.

1. 일관성 있게 꾸준히 지도해주세요

한 번 가르쳐주었다고 모든 것이 한 번에 해결될 수 없습니다. 습관이 되려면 꾸준히 일관성 있게 지도해야 합니다. 어제는 "빨간 신호에 건너지 마"라고 했는데, "빨간 신호이지만 오늘은 바쁘니까 길을 건너자"라고 한다면, 아이는 어제와 다른 부모의 말과 행동에 혼란이 생길 수 있습니다.

또한 부부간에도 생활지도 방법에 대해 합의하여 일관성을 가져야 합니다. 예를 들어, 엄마는 아이가 스스로 신발을 신을 때까지 기다려주는 반면, 아빠는 "크면 다 신을 수 있다"고 말하며 그냥 신겨준다면 아이는 누구의 말을 따라야 할지 혼란스럽기도 하고 신발을 스스로 신을 수 있는데도 아빠에게 의존하게 될 수도 있습니다.

부모는 아이의 거울이라는 말이 있듯 좋은 모델이 되어 일관성 있게 꾸준히 지도하면, 아이도 자연스럽게 보고 배웁니다.

2. 이해하고 바라봐주세요

사람마다 기질 및 특성이 다르듯 부모와 자녀의 특성이 다를 수 있습니다. 부모가 자신의 특성과 기질을 먼저 파악하고 아이의 특성을 바라보면 좀 더 잘 이해할 수 있습니다. 부모와 성격 유형이 같거나 다를 수가 있습니다. 부모는 아이가 자신과 다른 성격을 가지고 있더라도 아이 고유의 성향을 이해하고 존중해야 합니다.

예를 들어, 성격 유형을 외향형과 내향형으로 크게 두 가지로 분류해보겠습니다. 내향적인 아이는 생각이 많아 천천히 다가가기는 하지만 꼼꼼하고 섬세하게 일을 처리하고 다른 사람의 감정을 잘 이해합니다. 행동보다 생각을 더 많이 하는 내향적인 아이의 부모는 아이가 생각에만 머무르지 말고 구체적인 행동으로 습관화되길 바라는 마음이 많을 수 있습니다. 부모가 아이의 생각을 묻지 않고 부모의 판단만으로 혼을 내면 아이는 더욱더 의기소침해집니다. 그러므로 아이의 생각을 먼저 들어보는 것이 중요합니다. 어떤 상황인지 자세하게 들어보고 해결할 수 있는 방법을 글이나 그림으로 표현해본 다음 아이 스스로 실천할 수 있도록 이끌어주는 것이 필요합니다.

외향적인 아이는 생각보다 행동을 먼저 활발하게 하다 보니 간혹 뛰거나 과격한 행동을 하기도 합니다. 이럴 때 부모는 아이가 바르게 걷는 법에 대해 구체적으로 연습을 해본 후 그 느낌을 이야기를 해보는 방법이 있습니다. 외향적인 아이는 행동을 먼저 하다 보니 덤벙대거나 실수를 하기도 하지만, 매사에 호기심을 가지고 무궁무진한 창의력을 용기 있게 뿜어냅니다.

3. 세 가지 이상 다양한 방법으로 지도해주세요

매일 똑같은 음식만 먹으면 지겹듯이 아이들에게 매일 똑같은 방법으로 생활지도를 하면 지겨울 수 있습니다.

예를 들어, 차창 밖으로 손을 내미는 위험한 행동을 자주 하는 아이에게 "하지마 안 돼"라는 말만 반복하는 경우가 있습니다. '안 돼'라는 말만 반복해서 들을 경우 녹음된 소리를 듣는 것처럼 크게 동요되지 않고 그대로 창밖으로 손을 내밀고 있습니다. 부모는 아이가 자기 말을 듣지 않아서 화가 나기도 하고 다칠까 봐 걱정되기도 합니다. '안 돼'라는 말만 반복하기보다 방법을 다양하게 해보는 건 어떨까요?

첫째, 대화를 통해 아이가 창밖으로 손을 내밀면 왜 안 되는지 스스로 이해하고 해결 방법을 찾을 수 있도록 도와줍니다. "손을 창밖으로 내밀고 있으면 지나가다는 차에 너의 손이 다칠까 봐 너무 걱정되는데 어떻게 하면 좋을까?"

둘째, 창밖으로 손을 내밀지 않도록 장난감이나 책을 제공하여 아이의 관심을 다른 곳으로 전환하도록 합니다.

셋째, 역할놀이나 게임 등을 통해 차를 탈 때 주의할 점을 아이와 함께 만들어 보세요. 그림책, 대화, 게임, 노래, 영상 등을 다양하게 활용하면 아이가 더 즐겁고 자연스럽게 습관을 형성해나갈 것입니다.

4. 사랑하는 마음을 담아 친절하고 단호하게 지도해주세요

아이가 잘 자라기를 바라는 마음으로 바른 태도를 알려주고 싶은데, 의도와는 다르게 행동 변화에 집착해서 잔소리를 하게 됩니다. 잘못된 행동에 지적을 받은 아이는 점점 자신감이 줄어들고 부모의 잔소리를 회피하게 되면서 아이와 부모의 관계가 점점 멀어지게 됩니다. 관계를 우선순위에 두고 친절하고 단호하게 지도해주세요. 다른 아이와 비교하지 말고 내 아이의 행동에 초점을 두고 어제보다 오늘 더 나아진 점을 칭찬하고 격려해주세요.

사랑을 담아 친절하고 단호하게 칭찬과 격려하는 방법

1. **사랑을 담은 대화** 마트에서 떼를 쓰는 행동을 고치고 싶은 마음
   "지난번 마트 갔을 때 공룡 장난감 사달라고 바닥에 누워서 울었잖아. 그때 왜 그랬을까?"
   "엄마는 그때 다른 사람들이 많이 보고 있는데 네가 소리 지르니까 좀 창피했어. 다음에는 어떻게 행동하면 좋겠어?"

2. **사전예고** 마트 가기 전 아이와 대화

"네가 사고 싶은 물건은 무엇이지?"

"다른 물건도 사고 싶으면 지난번처럼 떼쓰고 울어야 할까?"

"어떻게 해야 할지 한번 연습해보자."

"잘 할 수 있지. 파이팅~!"

3-1. **친절과 단호함** 아이가 떼를 쓸 때

"우리 떼쓰지 않기로 했지?"

"잘 할 수 있어 노력해보자."

3-2. **순간 포착을 통한 긍정적 감사와 격려** 물건을 사고 싶지만 참을 때

- 순간 포착: 아이가 스스로 행동을 조절하는 모습 포착
- 긍정적 감사와 격려: "새로운 장난감을 보고 사고 싶었을 텐데 참는 모습을 보고 엄마는 깜짝 놀랐어."

"정말 훌륭하다. 멋진 우리 ○○ 최고~!"

"다음에는 또 어떻게 할까?"

5. 오해하지 말고 대화를 통해 해결 방법을 함께 모색해보세요

아이가 우유를 쏟았을 때 부모는 "또 쏟았어?"라고 하며 아이의 상황은 묻지 않은 채 아이를 실수만 하는 아이로 판단할 수 있습니다. 부모의 오해로 아이는 눈치를 보거나 혼이 날까 봐 걱정을 하기도 합니다. 이럴 때 먼저 웃으며 부드럽게 대화해보세요.

- 일어난 상황을 객관적으로 말해주세요.
  "우유가 쏟아졌네!" 과정은 보지 못한 채 우유가 쏟아진 결과만 보고, 부모

자신이 해결할 문제로 판단하여 화를 낼 때가 있습니다. 자신의 주관적인 판단을 빼고 객관적인 사실로 있는 그대로 말해주세요.

- 아이의 입장을 적극적으로 공감해주세요.
  "우유가 쏟아져서 정말 속상하겠다! 옷이 젖어서 불편하겠구나. 괜찮아?" 아이의 현재 살펴보며, 감정을 적극적으로 이해합니다.

- 아이의 눈빛, 표정, 몸짓 등을 살피며 아이의 마음을 이해하며 들어주세요.
  "어쩌다가 우유를 쏟게 되었니?" 부모가 알지 못했던 아이의 상황을 살펴봄으로써 더 깊이 이해하게 됩니다.

- 아이의 생각을 존중하며 해결 방법을 물어봅니다.
  "어떻게 하면 스스로 해결할 수 있을까?" 아이는 이리저리 궁리하며 스스로 해결할 방법을 생각해봅니다. 사고력과 문제 해결 능력이 발달될 뿐만 아니라, 다음에 비슷한 문제가 생겼을 때도 스스로 해결하는 능력이 길러집니다.

- 대화 시 피해야 할 것
  "다음에도 우유를 쏟으면 엉덩이 불나게 맞는다!"와 같은 **협박, 경고**
  "(화난 목소리로) 으이그 얼른 닦아." **지시, 명령**
  "너 때문에 또 빨아야 하잖아." **비난**
  "어휴~ 또 쏟았네. 항상 흘리지. 엄마가 똑바로 잡고 먹으라고 했지." **판단**
  경고, 협박, 지시, 명령, 비난, 판단 등의 말은 아이에게 불안감을 주어 행동이 위축될 수 있으므로 피해야 합니다.

6. 6초 이상 관찰해보고 구체적으로 지도해주세요

만 3세 아이들은 겨울을 세 번 만났습니다. 만 3세 아이가 겨울이 되어 지퍼가 달린 겨울 외투를 10번 정도 입어봤다면 어른은 적어도 200번은 입어봤을 만큼 아이들은 경험이 부족합니다. 자신이 만 3세였던 어린 시절을 떠올려보세요. 바지 하나를 입고 벗는 것도 어려운 일이었을 것입니다. 하지만 그때를 잊은 채 어른의 기준에 맞추어 "자, 외투 입어봐"라고 건네주며 아이가 스스로 입기를 바랍니다.

아이는 어떻게 입어야 할지, 지퍼는 어떻게 올려야 할지 방법을 몰라 부모에게 의존할 때가 많습니다. 아이가 어떤 부분에서 잘 안 되는지 잘 관찰해본 후 해결방법을 함께 대화해봅니다. 그리고 발달 특성을 고려하여 아이가 스스로 할 수 있도록 단계를 정하고 하나씩 천천히 구체적으로 알려주세요.

> 지퍼 달린 겨울 외투입기 예
> 1단계: 지퍼 달린 겨울 외투 살펴보기
> 2단계: 한 손으로 외투를 잡고 다른 손으로 팔을 끼워서 어깨까지 올리기(반대쪽)
> 3단계: 양손으로 옷을 가운데로 모으기
> 4단계: 양손으로 지퍼 두 개 길이 같게 만들어 끼우기
> 5단계: 한 손으로 지퍼를 잡고 다른 손으로 지퍼 손잡이 잡고 끝까지 올리기

아이에게 구체적으로 단계를 알려주고 잘하지 못하는 부분이 있다면 그 단계에서 다시 연습해보도록 알려주면 됩니다. 아이는 조금씩 성취할 때마다 자신감이 점점 상승할 것입니다.

7. 칠전팔기! 아이 스스로 문제를 인식하고 해결할 수 있도록 이끌어주세요

유아기는 무엇이든 스스로 해보려는 시도가 많아지는 시기입니다. 스스로 옷을 입어보고, 밥을 먹고 정리해보며 유능감과 자신감이 생겨납니다. 어릴 때 스스로 하지 않았는데, 어른이 되어서 갑자기 잘할 수는 없습니다. 아이가 도전해보고 성취할 수 있도록 도와주세요. 아이가 천천히 스스로 해결해보는 경험을 통해 자연스럽게 습관이 형성됩니다.

예를 들어, 용변 후 뒤처리하는 것이 깔끔하지 않다고 부모가 닦아주는 경우가 있습니다. 아이가 스스로 닦을 수 있는데도 부모가 계속 도와주면 다른 일을 할 때도 자신을 무능한 사람으로 인식하게 될 수 있습니다. 그러면 도전해보고 싶은 의욕도 사라져 아이 스스로 해결하기보다는 부모에게 의존하게 됩니다.

1. 어떻게 하면 스스로 할 수 있을지 이야기를 나눠봅니다.
   "어떻게 하면 화장실에서 스스로 대소변을 닦을 수 있을까?"
2. 불편한 점이나 잘되는 점은 어떤 것인지 물어봅니다.
   "스스로 닦으려고 할 때 어떤 부분이 잘되었니? 어떤 것이 어려웠니?"
3. 어려워하는 부분을 아이 수준에서 구체적으로 알려주고 스스로 할 수 있도록 지도해주세요.
   휴지로 닦는 방법을 안내하고 스스로 할 수 있도록 지도(p.63 '스스로 닦아보는 휴지놀이' 참고)
4. 아이가 도전해볼 때 과정을 구체적으로 칭찬해주세요.
   "처음보다 더 훨씬 잘한다." "휴지를 접고 닦은 후 쓰레기통에 잘 버리네."
   "엉덩이가 깨끗해졌구나. 역시 훌륭해." "스스로 하는 모습에 깜짝 놀랐어."

혹시나 실수하더라도 "틀려도 괜찮아", "실수해도 괜찮아" 하고 다독여주세요. 부모가 믿고 지지하면 아이는 실패를 딛고 건강하게 자신의 유능감을 발휘할 것입니다.

놀이로 만나는 일상생활습관 골든 팁
식습관
올바른 식습관은 유아의 건강과 신체 발달에 크게 영향을 미치므로 아주 중요합니다. 성향과 기질, 음식의 선호도, 습관 등에 따라서 바른 자세로 음식을 골고루 맛있게 먹는 아이들도 있지만, 밥을 먹기 싫어해서 부모가 온종일 밥을 들고 따라다니며 먹이거나 좋아하는 음식만 먹이는 경우도 있습니다. 아이들이 음식에 친근함을 갖고 올바른 식습관을 형성할 수 있는 놀이와 활동을 안내합니다.

아이의 생각과 마음을 들어보기

음식과 관련 있는 다양한 그림책을 활용하여 이야기를 나누어보면 좀 더 구체적인 해결 방법을 찾을 수 있습니다.

- 그림책 예시
  - 밥 한 그릇 뚝딱, 고구마구마, 난 토마토 절대 안 먹어, 구리와 구라의 빵 만들기, 주무르고 늘리고 등
- 대화 예시
  "음식은 왜 먹어야 할까?"
  "우리 가족이 어떤 음식을 좋아하는지 서로 이야기해보자."
  "식당에서 다른 사람에게 피해를 주지 않고 즐겁게 식사를 하려면 어떻게 하면 좋을까?"
  "몇 시까지 밥을 먹고 놀이할까?"
  "왜 바르게 먹어야 할까? 식사를 할 때 어떻게 하면 바르게 먹을 수 있을까?"

맛있는 맛! 즐거운 맛!

음식 재료를 탐색해보면 식재료가 가진 고유의 맛과 영양에 관심을 갖게 됩니다.

- 당근 맛보며 느낌을 표정으로 말하기, 점토로 당근 만들어보기, 종이 찢어 국수 만들기, 휴지를 돌돌 말아 밥 만들기, 점토나 종이로 음식을 만든 다음 맛있게 먹는 표정 짓기 등

다양한 역할 놀이 해보기

음식과 관련된 놀이를 다양하게 즐겨봄으로써 올바른 식습관을 간접적으로 체험할 수 있습니다.

- 음식점 놀이, 주방 놀이

요리 활동에 참여하기

유아가 직접 요리 활동에 참여해봄으로써 조리과정에 관심을 가지고, 음식 재료의 소중함과 감사함을 느낄 수 있습니다.

- 고구마 맛탕 만들기, 샌드위치 만들기, 쿠키 만들기 등

우리 집 주간 식단 만들어 함께 장보기

가족의 건강을 생각하며 이번 주에 먹고 싶은 식단을 함께 만들어봅니다. 냉장고에 있는 재료를 활용하여 식단을 짜봅니다. 냉장고에 없는 재료로 식단을 짤 경우에는 필요한 목록을 메모하여 함께 장을 봅니다. 자신이 먹고 싶은 식단을 짜보고 장을 보며 요리를 해보는 과정에 유아는 매우 적극적으로 참여합니다. 이런 활동을 통해 음식에 대한 관심을 더욱더 가지게 되고 요리를 해주시는 부모에게 감사한 마음을 가질 수 있습니다.

상 차리기

가족이 함께 음식을 준비하고, 대화를 나누며, 식사하는 것은 소중한 경험입니다. 이 때 아이도 식사 준비에 함께 참여한다면 함께 하는 즐거움과 나눔의 기쁨을 느껴 더 맛있게 먹을 수 있게 됩니다.

- 수저 놓기, 식탁 닦기, 냉장고에서 반찬 꺼내기, 먹을 만큼 접시에 반찬 담기

식판 이용하기

식판을 이용하면 자신이 먹고 싶은 음식을 적당히 덜어 먹을 수 있기 때문에 잔반이 생기지 않을 뿐만 아니라 감염병도 예방할 수 있습니다. 식판에 담은 양만큼 골고루 먹을 수 있도록 도와줍니다.

<식습관 관련 놀이 예시>

음식재료 탐색 놀이

요리활동   음식점 놀이   간식 상 차리고 먹기

정리정돈

신나게 놀이 후 정리하는 것을 힘들어하는 경우가 있습니다. 그 이유를 살펴보면 더 놀고 싶거나 정리하기 싫어서 혹은 정리하기 싫어서 일 수 있습니다. 자신

이 놀이한 물건을 스스로 즐겁게 정리하는 방법을 소개합니다.

아이의 생각과 마음을 들어보기

정리정돈을 하기 싫은 이유와 정리를 잘할 수 있는 방법에 대해 이야기 나누어봅니다. 다양한 그림책이나 동영상을 활용하면 좀 더 구체적인 해결 방법을 찾을 수 있습니다.

- 그림책 예시
  - 뒤죽박죽 정리정돈, 나 혼자 해 볼래 정리정돈 등
- 대화 예시
  "정리정돈은 왜 해야 할까?"
  "어떻게 하면 모두가 편리하고 즐겁게 정리정돈을 할 수 있을까?"
  "정리정돈 시간을 어떻게 정하면 좋을까?"
  "네가 정리정돈을 스스로 하니까 집이 더 깨끗해졌구나! 고마워"

정리 바구니 만들기

아이와 함께 장난감 위치를 정한 다음 정리 바구니를 아이가 직접 만들어 봄으로써 장난감의 위치를 정확하게 알게 되고 정리하고자 하는 마음도 생기게 됩니다.

장난감을 찾아라!

"영미야, 로봇이 없어졌어! 우리 같이 로봇을 찾아보자." 아이와 함께 없어진 장난감을 찾아보는 놀이를 해보면 아이도 즐겁게 장난감을 찾아서 제자리에 정리할 수 있습니다.

째깍째깍 타이머를 활용하자!

타이머는 시간이 줄어드는 것이 시각적으로 보이기 때문에 정리 시간을 설정하기 좋습니다. 놀이 시간과 정리할 시간을 아이와 사전에 협의해보세요. 타이머를 활용하여 아이 자신이 놀이하고 싶은 시간과 정리할 시간을 스스로 정하고 지킬 수 있도록 도와주세요. 아이에게 자율권과 선택권을 주면 책임감 있게 자신의 행동을 조절할 수 있습니다.

놀잇감 정리하기

정리 바구니 꾸미기

놀잇감 정리 바구니

정리 놀이 영상

옷 입기

어른들은 옷을 입을 때 무의식적으로 입지만, 옷을 스스로 입어본 경험이 적은 아이들은 바지 하나를 입을 때도 순서를 생각하며 하나씩 단계적으로 입습니다. 옷을 스스로 입어보는 경험을 통해 성취감과 자신감을 느낄 수 있습니다.

아이의 생각과 마음을 들어보기

옷 입기에 대한 아이의 생각을 들어봅니다. 입기 어려운 옷이나 입기 쉬운 옷, 자신만의 옷 입는 비법 등에 대해 이야기 나누어봅니다. 다양한 그림책이나 동영상을 활용하면 좀 더 구체적인 해결 방법을 찾을 수 있습니다.

- 그림책 예시
  - 벗지 말걸 그랬어, 그건 내 조끼야, 옷을 입자 짠짠 등
- 대화 예시
  "옷은 왜 입어야 할까?"
  "옷을 입을 때 입거나 벗기 어려운 옷이 있니?"
  "어떻게 하면 옷을 쉽게 입을 수 있을까?"
  "네가 스스로 옷을 입으니까 엄마 아빠가 다른 일도 할 수 있게 되었어. 고마워."

나는 패션 디자이너

잘 입지 않는 옷이나 더 예쁘게 꾸미고 싶은 옷을 가지고 그림을 그리거나 스팽글, 리본 등을 활용하여 꾸며봅니다. 옷을 스스로 만들고 꾸며보면서 옷에 관심을 가지고 즐겁게 놀이할 수 있습니다.

나는 패션쇼 모델

내가 꾸민 옷이나 다양한 옷들을 입어보고 패션쇼를 해봅니다. 자연스럽게 스스로 옷을 입고 벗는 과정을 통해 옷 입는 방법을 경험하게 되고, 좀 더 수월하게 옷 입기가 가능해져 자신감이 생깁니다.

옷 입고 벗기 설명서

내가 꾸민 옷을 입고 벗는 방법을 말로 설명해보고, 글이나 그림으로 설명서를 만들어봅니다. 옷을 입고 벗는 방법을 말이나 글로 표현해보면서 사고와 행동을 보다 구체적으로 실천할 수 있는 능력이 생깁니다.

<패션 디자이너, 패션모델, 사용설명서의 예>

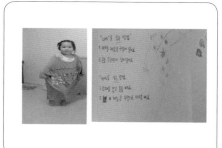
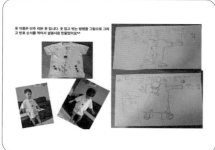

이 닦기

이는 음식을 섭취할 때나 말을 할 때 중요한 역할을 하므로 건강하게 잘 관리해야 합니다. 이 닦는 것을 아이들이 놀이처럼 즐겁게 할 수 있는 방법을 소개합니다.

아이의 생각과 마음을 들어보기

이 닦기에 대한 아이의 생각을 들어봅니다. 이 닦기를 하기 싫은 이유와 이를 닦는 방법에 대해 이야기 나누어봅니다. 다양한 그림책이나 동영상을 활용면 좀 더 구체적인 해결 방법을 찾을 수 있습니다.

- 그림책 예시
  - 치과 의사 드소토 선생님, 충치세균 달달이와 콤콤이, 치카치카 군단과 충치왕국
- 대화 예시
  "이 닦기는 왜 해야 할까?"
  "어떻게 하면 이를 바르게 닦을 수 있을까?"

세균을 잡아라

치아 모양을 종이나 보드판에 그린 후 그 위에 세균을 상상하여 그려봅니다. 그런 다음 가위바위보를 해서 이긴 사람이 세균을 하나씩 지워보는 활동입니다. 물고기를 충치라고 생각하고 낚시로 충치 세균 잡기도 할 수 있습니다.

<이 닦기 놀이 예>

이 그리기

충치 세균 그림

게임하며 충치 세균 지우기

충치 세균 낚시하기

화장실 놀이

놀이에 집중해서 소변을 보러 갈 시간을 놓치거나 소변 실수를 하는 것은 누구나 한 번쯤은 할 수 있습니다. 실수가 반복되어 자주 빨래를 해야 하면 부모는 불편한 감정을 표현하게 됩니다. 아이는 부모의 눈치를 보고, 옷이 축축해져서 불편할 수 있습니다.

아이가 스스로 화장실을 다녀올 수 있는 놀이 방법을 소개합니다.

아이의 생각과 마음을 들어보기

부모의 어릴 적 소변 실수에 대한 이야기를 하며 공감하고 이해하는 마음을 갖도록 합니다.

- 그림책 예시
  - 오줌이 찔끔
- 대화 예시

  "사실 엄마는 초등학교 1학년 때 학교에서 소변 실수를 해서 외할머니가 옷을 갖다준 적이 있어. 그때 친구들이 놀려서 속상했어."

  "넌 언제 실수를 하니?"

"소변이 옷에 묻어있을 때 너는 어떤 느낌이 들어?"

"그림책을 보니 할아버지도 오줌을 찔끔하시네."

"그림책에 나오는 엄마의 표정은 어때? 왜 이런 표정일까?"

"엄마는 사실 여러 번 옷을 빨아야 할 때 힘이 들 때도 있어."

"그리고 엄마는 소변이 팬티에 묻어서 세균이 너의 몸속에 들어갈까 봐 걱정이 되기도 해."

"어떻게 하면 소변 실수를 하지 않을 수 있을까?"

자신만의 소변 실수하지 않는 비법 소개하기

아이에게 소변이 묻었을 때 느낌을 물어본 후 소변 실수를 하지 않으려면 어떻게 하면 좋을지 이야기를 나누고 그 방법을 그림이나 글로 표현해보도록 합니다. 잠자기 전 물먹기, 쉬 참지 말고 바로 화장실 자주 가기, 화장실에 갈 때 읽고 싶은 책 들고 가기 등 자신만의 해결 방법을 찾아낼 것입니다.

스스로 닦아보는 휴지놀이

아이들이 대소변 실수를 하지 않도록 용변 후 휴지를 사용하여 뒤처리하는 방법을 놀이로 배워봅니다.

- 휴지 뜯어서 탐색하기: 휴지를 5칸을 뜯어서 입으로 불어보고, 흔들어도 보고, 머리띠, 팔찌, 목걸이 등 다양하게 만들어보며 살펴봅니다.
- 휴지를 반으로 3번 이상 접어보기: 휴지를 펼쳐서 반을 접고 또 반을 접고 또 반을 접어 봅니다.
- 휴지를 다시 반으로 3번 접고 닦아보기: 얼굴에 케첩이 묻었다고 생각하고 한번 닦고 반을 접고 또 닦고 반을 접는 것을 3차례 반복해봅니다.
- 인형 엉덩이 닦아보기: 인형 엉덩이를 앞에서 뒤로 닦아봅니다.(뒤에서 앞으로 닦으면 요로감염 발생 요인이 될 수 있음)

• 옷을 입은 상태에서 뒤처리 연습하기: 휴지로 앞에서 뒤로 닦아봅니다.

단계를 나누어서 구체적으로 놀이해보는 경험을 통해 실제로 휴지를 닦아보는 능력이 향상되며, 휴지를 접어서 다른 이물질도 닦을 수 있습니다.

<화장실 놀이 예>

| 실수하지 않는 방법 | 인형 화장실 만들기 | 인형 용변 후 뒤처리 도와주기 |

우리 가족 마음 방역 매뉴얼

코로나19가 장기화되면서 오는 피로감과 가정에서 담당해야 할 일들에 대한 부담이 증가하고 있습니다. 정신적, 육체적으로 지친 부모님 중에는 심각한 우울증을 호소하며 병원을 찾는 분도 있습니다. 따라서 코로나19를 예방하기 위한 자가 방역뿐만 아니라, 자신의 마음을 지키기 위한 마음 방역도 필요합니다. 마음 방역 매뉴얼을 통해 우리 가족 마음의 건강을 지켜보세요.

코로나19 시대의 우울증 그리고 부모의 마음
마음의 면역력을 만드는 부모의 감정 조절 솔루션

정신적, 육체적으로 지치면 작고 사소한 일에도 화가 나게 됩니다. 스치듯 지나가는 말도 예민하게 받아들여 소리를 지르거나 화를 내어 가족 전체 분위기를 싸늘하게 만들기도 합니다. 이렇게 차가워진 가정 분위기에 아이들은 불안하고 두려운 마음이 커질 수 있습니다. 감정을 조절하지 못해 화를 내고 나면 곧 후회하는 마음이 들지만, 내뱉은 화를 다시 주워 담을 수는 없습니다.

<부모 감정 노트 기록 예시>

날짜	객관적 사실	화가 난 수치 (1~10)	상황에 대한 나의 감정	화가 났을 때 나의 표현 방법 (언어, 표정, 행동)	화 표현 수치 (1~10)	결과	
						아이 반응	나의 감정
○○ /◇◇	○○는 동생이 자기가 가지고 놀던 장난감을 들고 가자 10개월 동생을 발로 차고 머리를 때렸다.	10	○○는 동생을 이해하지 못하고 발로 차고 머리를 때리는 것에 대해 화가 났다.	"야, 너 또 동생 때리니? 말로 하라고 했잖아" 라고 말하며 내가 아이의 엉덩이를 때림	10	○○는 "잘못했어요! 다음부턴 안 그럴게요" 라고 말했다. 하지만 ○○의 표정은 억울한 게 많은 표정이었다.	엉덩이를 때린 것이 잘못된 것 같다. 말로 하지 말라고 할걸...
○○ /◇◇	자기가 먹고 있던 우유를 쏟아서 흘린 우유로 그림을 그리며 장난을 하고 있다.	8	우유를 쏟았으면 빨리 닦아야 하는데, 닦지도 않고 장난치고 있으니 화가 났다.	네가 흘린 것은 네가 닦는 거 알지? 휴지로 닦으렴.	1	"네"라고 대답하며 스스로 휴지로 닦는다.	화를 내지 않고 아이에게 스스로 해결할 수 있도록 말을 하니 나도 편하고 아이도 편했다.

이를 해결하기 위해서는 부모가 자신의 마음을 건강하게 돌볼 수 있는 마음 면역력이 필요합니다. 현재 감정을 알아차리고 이해한 다음 정리해보는 시간을 가져봄으로써 몸과 마음을 건강하게 만들 수 있습니다.

실제 있었던 상황에 대한 객관적 사실을 있는 그대로 쓰고, 그때의 화가 난 정도를 숫자로 적어봅니다. 그 상황이 일어났을 때의 감정 및 행동, 화를 표현한 정도, 화에 대한 아이의 반응과 부모의 반응을 적어보세요. 자신의 감정을 알아차리는 시간이 많을수록 화를 내는 대신 웃고 행복한 시간이 더 많아질 겁니다.

나의 감정 변화 기류를 살펴보면서 조절할 수 있도록 부모 감정 노트를 만들어서 앞의 예시와 같이 적어보면 더 효과적입니다.

부모 마음 지킴이 실천 전략 5가지

두려움과 불안이 커지고 해야 할 일이 많으면 온전한 마음을 갖기가 어렵습니다. 건강한 마음을 지키기 위한 5가지 실천 전략을 소개합니다.

1. 허용한계를 정하세요

내가 모든 것을 다 할 수 없습니다. 그러므로 자신의 삶에 '허용한계'를 정하여 할 수 없는 것은 과감히 버리거나 함께 해결해나가는 방법을 모색해야 합니

<허용한계를 해결하기 위한 우리집 가족회의 예시>

	김○○	박○○
원하는 것	서로에 대한 배려와 존중	사랑과 책임
잘하는 것	대화하기, 공감	정리정돈
어려운 것	정리정돈	기다리기
앞으로 계획	시작한 것 스스로 마무리하기	가족의 이야기를 더 들어주기

다. 인생을 살아가면서 우리는 많은 어려움에 부딪힙니다. 이럴 때 두려워하지 말고 할 수 있는 것과 할 수 없는 것을 구분하여, 내가 할 수 없는 것은 주변에 도움을 요청해봅니다. 양육에서도 부모가 모든 것을 혼자 짊어지기는 어렵습니다. 자신이 할 수 없는 것은 배우자나 자녀와 상의해보세요. 만 3세 유아와의 대화에서도 지혜의 문이 열릴 수 있습니다. 자신이 할 수 있는 것과 할 수 없는 것을 구분하기 위해서는 무엇을 원하는지 어떤 것을 잘하고 어려워하는지 이를 해결하기 위해서의 계획을 가족이 모여 의논해봅니다.

2. 자신의 변화를 알아차립니다

부모 자신의 몸과 감정의 변화를 알고 스스로 조절하는 것은 매우 중요합니다. 한 공간에 매일 함께 있는데도 서로 무엇을 좋아하는지 알지 못하고 각자의 삶에 급급하여 소홀해집니다. 부부가 무엇을 좋아하고 싫어하는지 등을 자세히 알고 있으면 관심과 사랑이 커지고 이해의 폭도 넓어집니다. 서로 좋아하는 말과 행동 그리고 싫어하는 말과 행동을 알고 있으면 좋아하는 말과 행동은 더 잘해주고 싶고 싫어하는 말과 행동은 더 조심하게 됩니다. 부부 알아가기 프로젝트를 한 후에는 확장하여 온가족 알아가기 프로젝트로 만들어 온가족이 모여 사용하면 더 좋습니다.

3. 규칙적인 생활이 필요합니다

가정에서 지내는 시간이 많아지면 주말처럼 늦게 자고 늦게 일어나는 경우가 있습니다. 늦게 일어나면 아침 식사를 거르게 되고 적절한 영양분을 제때 공급하지 못하여 에너지가 부족하게 됩니다. 낮에는 태양의 기운을 받아 에너지 넘치게 일을 하고 밤에는 쉬면서 방전된 에너지를 다시 채워야 하는데, 낮과 밤이 바뀌어 생활하면 몸과 마음의 건강에 매우 해롭다는 연구보고가 있습니다.

규칙적인 생활을 위해서는 부모가 먼저 일찍 자고 일찍 일어나며 운동하는 습

<부부 및 가족 알아가기 프로젝트 예>

		김○○	박○○
좋아하는 것	색깔	빨강	초록
	음식	된장찌개	김치찌개
	놀이	노래 부르기	그림 그리기
	말	사랑해	네가 최고야
	행동	마주 보고 웃기	안아주기
싫어하는 것	색깔	검정	갈색
	음식	생새우	오징어 튀김
	놀이	달리기	게임
	말	바보	넌 나빠
	행동	욕하고 던지기	때리기

관을 가져야 합니다. 부모가 규칙적인 생활을 하여 건강한 몸과 마음을 가지면 아이도 부모의 모습을 자연스럽게 따라 배우게 됩니다.

일상생활에서 하면 좋은 습관을 안내합니다.

좋은 규칙 습관 5가지
1. 일찍 자고 일찍 일어나기
2. 매일 10분씩 독서하기
3. 일주일에 3회 이상 운동하기
4. 감사 인사하기
5. 좋은 습관 일기 쓰기

예) 좋은 습관 일기

습관화 1일 차
(○○○○년 ○○월 ○○일 ○요일)

1. 취침 및 기상 12:00~6:00
2. 아침활동: 스트레칭, 명상, 독서『숨만 쉬어도 셀프힐링』
3. 계획
    1)
    2)
    3)
4. 감사
    1) 가족들이 건강하게 지낼 수 있어서 감사합니다.
    2) 행복한 아침을 맞이할 수 있음에 감사합니다.
    3)

규칙적인 생활 실천 팁 3가지

- **자기 전에 해야 할 일을 적어둔다.** 잠들기 전 일과를 돌아보며 내일 할 일을 적어두면 아침에 일어나서 좀 더 규칙적으로 지낼 수 있습니다.
- **아침에 눈을 뜨고 할 일을 머릿속에 생각해보고 5초 안에 자리에서 일어난다.** '마법의 5초'라는 말이 있습니다. 어떤 일을 시작할까 말까 고민하다 늘어지는데 딱 5초가 걸린다고 합니다. 자리에서 일어날까 말까 고민할 때 마음 속으로 다섯을 세며 숫자가 끝나기 전에 바로 행동을 하면 할 수 있습니다.

- **좋은 습관 일기를 공유한다.** 혼자는 하기 힘들지만, 함께 하면 할 수 있습니다. 해야 일과 실천한 일들을 적어서 다른 사람과 공유하며 서로 피드백을 하면 더 잘 할 수 있게 됩니다.

4. 긍정적인 생각으로 말하고 행동합니다

긍정적인 생각과 말은 불가능한 일을 가능하게 만드는 마법 같은 힘이 있습니다. 감염병으로 인한 불안과 공포는 우리 뇌에서 스트레스 호르몬이 나오게 해서 생각을 고정시키고 부정적인 영향을 끼칩니다. 이럴 때 자신에게 '멈춰, 그만'이라고 말하면서 부정적인 생각을 멈추고 긍정적인 생각을 합니다. 그러면 긍정의 호르몬이 흘러나와 새로운 일에 도전할 수 있는 에너지를 줍니다.

긍정적인 생각은 긍정적인 말과 행동을 만들어냅니다. 혼란과 혼돈이 있을 때 잠시 멈추고, 깊은 호흡을 하며, 잘 될 수 있는 일들을 머릿속에 그려보고 그 일을 할 수 있도록 말과 행동을 해봅니다.

현재 부정적인 상황에 놓여있다면 그 상황을 잠시 벗어나 음악을 듣거나 그림을 보거나 여행을 하거나 명상을 하는 등의 방법을 시도해보세요. 새로운 방향이나 대안을 모색하는 기회가 될 것입니다.

5. 하루 5분의 대화를 합니다

하루에 최소 5분의 시간을 내어 대화를 합니다. 마음을 따뜻하게 어루만져주어 불안을 해소하는 데 도움이 됩니다. 가족, 친구 등 주변 사람들과 SNS나 전화, 메시지, 하루 뽐내기 토크 등을 통하여 소통을 하는 시간을 가져봅니다.

하루 5분 뽐내기 토크

가족과 함께 지내는 시간은 많지만, 대화하는 시간이 없을 수도 있습니다. 특히 자신이 잘하는 것을 생색내어 표현해보는 것을 쑥스러워할 수 있습니다. 하지만 표현하지 않는 것은 사랑이 아니라는 말이 있듯이 매일 자신이 잘한 점을 자랑하고 서로 칭찬해주는 '하루 5분 뽐내기 토크'를 해보세요. 5분 동안 자신이 잘한 일을 뽐내고 그것을 서로 칭찬하면 듣는 사람은 뿌듯하면서도 어려운 일을 이겨낼 수 있는 자신감이 생깁니다. 가족 간의 사랑의 대화에서 얻는 지지는 살아가는 데 가장 중요한 버팀목이 됩니다.

토닥토닥 마음 솔루션

집 밖에서 속상했던 일이 있어도 서로 칭찬하고 안아주면 마음이 풀리고 안정을 찾을 수 있습니다. 서로에게 마음을 토닥여주는 편지를 써서 보내주세요. 가족

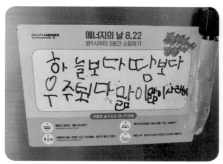
보드판을 활용한 편지

아이가 엄마에게 보내는 상장

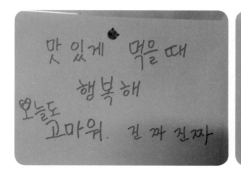
엄마가 가족에게 보내는 메시지

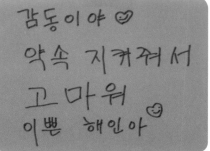
부모가 아이에게 보내는 메시지

이 많이 이용하는 냉장고에 붙이면 서로 오고 가면서 사랑의 메시지를 확인할 수 있습니다.

감정을 표현해요

기쁨, 슬픔, 즐거움, 화남, 놀람, 두려움 등 다양한 감정이 있습니다. 흔히 아이가 울면 주로 '울지마' 라고 말하며 주변 어른들이 아이의 감정을 억누르기도 합니다. 감정을 억누르다 보면 참다가 폭발하여 더 큰 문제가 생길 수 있습니다. 그러므로 자신의 감정을 알아차리고 긍정적인 행동으로 표현할 수 있도록 이끌어주는 것이 필요합니다.

아이의 생각과 마음을 들어보기

일어난 상황에 대해 그 느낌을 들어봅니다. 다양한 그림책이나 동영상을 활용하면 좀 더 구체적인 해결 방법을 찾을 수 있습니다.

- 그림책 예시
  - 소피가 화나면 정말 정말 화나면, 마음 여행, 걱정 상자 등
- 대화 예시

  "언제 무엇 때문에 화가 났는지 이야기해줄래?"

  "화가 났을 때 너의 마음은 어땠어? 어떻게 행동했어?"

  "누구나 화가 날 수 있지만, 화가 났다고 다른 사람을 때리거나 피해를 주는 행동을 하면 안 되는 거 알지?"

내 감정을 말해요

자신의 감정을 종이에 그려보거나 몸이나 말로 표현하면, 자신의 감정을 이해

감정표현 고리   감정을 표현해요

감정 가면   감정 그림

하고 공감하는 능력이 더 커집니다.

보자기로 떠나는 마음 여행

보자기를 가지고 자신의 감정을 자유롭게 표현해보는 활동을 해보세요. 자신의 감정을 표현하고 이해하다 보면, 다른 사람의 감정도 이해하는 '마음의 창'이 활짝 열립니다.

마음이 작다고 치료해봐요 아음이 작으면 뭐가 안좋냐고 했더니 세상이 이상하게 보이고 맛있는 게 없어진대요

마음 씨앗을 심어서 나무가 됐 어요 이른 봄색이 달린 나무 그 리고 나비를

이 약은 알을 크게 만드는 약입탑니다

숨 맹추고 척은척, ㅠㅠ
같이 보는 그림책 선물 넘 감사합니다.선생님
마음에는 언덕도 , 자리도, 요정도 씨앗도 있군요?같은척
다르게 배울 수 있는 시간이었어요

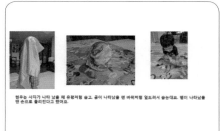

현우는 사자가 나타 났을 때 유령처럼 숨고, 곰이 나타났을 땐 바위처럼 엎드려서 숨는대요. 뱀이 나타났을 맨 손으로 출러친다고 했어요.

쟈스민공주
용됭
성냥팔이 소녀
박쥐래요

이윤주 선생님한테 드리는 꽃이래요,
밑에 까만건 수업할때 휴대폰 거치대라고;;

워킹맘! 워킹대디! 모두 힘내세요!

짜투리 시간을 활용해보세요

부모와 함께 시간을 보내는 것은 두뇌와 신체가 급진적으로 성장하는 유아기에 결정적 역할을 하므로 매우 중요합니다. 단 5분이라도 아이와 함께 시간을 보내보세요.

출근하기 전 1분 모닝 스킨십

아이들 깨우기, 밥 먹이기, 옷 입히기, 준비물 챙기기, 출근 준비하기... 직장인에게 아침 출근 시간은 전쟁과도 같은 시간입니다. 부모가 바쁘다 보니 아이에게 재촉하고 서두르게 됩니다. 아침에 나누는 인사와 스킨십은 뇌 발달에 아주 중요한 영향을 미친다는 연구결과가 있습니다. 아이와 부모의 정서적 안정을 위해 1분 모닝 인사와 스킨십을 나눠보는 건 어떨까요? 준비물이나 챙겨야 할 것들은 전날 미리 준비해두면 충분히 1분 모닝 인사와 스킨십을 할 수 있습니다.

저녁 식사 시간을 줄이고 잠들기 전까지 놀이시간 늘려서 함께 놀이하기

식사 시간이 길어지면 놀이 시간이 줄어듭니다. 식사 시간을 조절하여 함께 놀이하는 시간을 만들어보세요. 아이와 놀이하는 시간이 많을수록 아이는 정서적·신체적 발달이 더 증진될 것입니다.

잠자기 전 5분 속마음 대화 또는 감사 일기

오늘 하루 있었던 일에 대해 충분히 이야기를 나눠주세요. 부모의 일상생활에서 즐거웠거나 속상했던 일, 자녀가 유아교육기관에서 재미있거나 신났던 일등에 대해 함께 나누는 것이 필요합니다. 또한, 하루 일과를 마친 후 모든 일에 대한 감사하는 마음을 표현해보는 시간을 가져보세요. 감사가 몸과 마음을 더욱더 풍요롭게 만들어줄 것입니다.

"엄마(아빠는) 오늘 회사에서 일하면서 우리 ○○이가 정말 보고 싶었어. 너는 어땠어?"
"오늘 회사에 새로운 사람이 왔는데 엄마랑 이름이 같더라. 너는 유치원에서 어떤 일이 있었니?"
"○○아, 오늘 하루도 건강하고 행복하게 지내줘서 고마워."
"○○이와 함께 맞이하는 내일이 있어서 정말 감사해."

바쁘고 지친 일상에 잠시 멈추고 하루 1분 명상하는 시간을 가져보시면 몸과 마음의 여유를 가지게 될 것입니다.

걱정 해결 Q&A 상담소

직장과 가사를 병행하면서 육아에 대한 고민은 늘 있습니다. 육아에 대한 고민을 Q&A로 정리해보았습니다.

Q. 아이가 분리불안을 느끼면 어쩌죠?

부모와 함께 지내다가 갑자기 분리되면 아이는 부모를 영영 못 볼 것 같아 두려워할 수 있습니다. 부모와 잠시 떨어져 있어도 언제나 아이를 생각하고 있다는 느낌이 들 수 있도록 신뢰감을 형성하는 것이 중요합니다.

고민 해결 솔루션

♣ 아이가 신뢰감과 안정감이 들 수 있는 대화를 해보세요.

"엄마(아빠)는 회사에서 네가 너무 보고 싶었는데, 꾹 참고 열심히 일했어. 넌 어땠어? 너도 엄마(아빠)가 보고 싶은데 꾹 참고 잘 기다렸구나. 고마워"

♣ 분리불안과 관련된 그림책을 들려주고 공감할 수 있도록 도와주세요.

그림책 『우리는 언제나 다시 만나』를 들려주며 아이가 부모와 떨어져 있어도 다시 만난다는 것을 간접적으로 느낄 수 있고, 다른 친구들도 부모님과 헤어지기 싫어한다는 것을 알고 공감할 수 있습니다.

♣ 아이가 정서적으로 편안한 느낌이 들도록 놀이를 해주세요.

그림책에 나오는 까꿍 놀이나 『그림책 놀이 82』에 나오는 '까꿍 놀이', '안녕 다시 만나' 등의 놀이를 해보는 것도 좋습니다.

직장에서 돌아오면 지치고 힘이 듭니다. 집안일도 해야 하는데 아이가 놀아달라고 조르면 화가 날 수 있습니다. 그렇다고 해서 아이에게 화를 내거나 소리를 지르면 아이는 부모의 상황을 모르기 때문에 상처를 받습니다. 부모가 화를 많이 낼수록 아이는 위축되고 자신감이 없어집니다. 부모 자신의 감정과 욕구를 알아차리고 스스로 조절하는 것이 중요합니다.

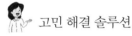 고민 해결 솔루션

♣ 깊은 호흡을 하며 무엇 때문에 화가 나는지 감정과 욕구를 생각해봅니다.

음악을 들으며 마음을 가다듬고 숨을 천천히 깊게 들이마시고 내쉽니다. 그리고 화가 얼마만큼 났는지 화의 수치를 적어보세요. 화가 났을 때의 감정과 생각과 행동을 적어보세요. 자신의 감정, 욕구, 생각 그리고 행동에 대해 되돌아보며 정리하는 시간이 됩니다. 마음의 정리가 되고 알아차릴수록 화의 수치가 점점 내려가는 것을 느끼게 될 것입니다.

♣ 주변에 자신의 감정에 대해 이야기하고 도움을 요청합니다.

스스로 조절이 어려울 경우 가족이나 상담센터 등에 도움을 요청합니다. 또한, 부모가 아이와 친구처럼 대화하다 보면 아이도 부모의 속상한 감정을 공감하게 되고, 오히려 부모를 위로해주기도 합니다. 서로 공감하며 아이가 오히려 부모를 위로해주기도 합니다, 서로 동반자로 성장하고 의지하게 되기도 합니다.

워킹맘이든 전업맘이든 모든 부모는 자신의 기준에서 자녀에게 완벽한 부모이길 원합니다. 다른 사람과 비교하면 자신의 자녀 양육이 부족하다고 자책할 수도 있습니다. 짧은 시간이라도 아이와 친밀하게 상호 작용하는 것이 중요합니다.

🧑 고민 해결 솔루션
♣ 준비물이나 해야 할 일 등을 메모하여 체크를 합니다.
전업맘이든 워킹맘이든 정신없이 육아를 하다 보면 놓치게 되는 것이 많습니다. 메모해두면 놓치는 것을 방지할 수 있습니다.
♣ 자기 전 몇 시간만이라도 아이와 놀이합니다.
♣ 주말을 활용하여 많은 시간을 즐겁게 보냅니다.

Q. 아이가 저와 대화하는 것을 피해요
회사가 늦게 끝나고 집에 오면 아이가 자고 있을 때가 많다 보니 부모에 대한 서운함이나 낯섦에서 오는 거부감이 있을 수 있습니다.

🧑 고민 해결 솔루션
♣ 아주 잠깐이라도 시간을 내서 아이와 대화해보세요. 만약 아이와 떨어져 있는 상황이라면, 아이의 현재 상황을 물어보는 등의 전화 통화를 자주 해보세요. 부모의 목소리를 자주 들으면 아이는 정서적 안정감을 느끼게 됩니다.

학부모와의 소통

온라인 수업을 운영할 때는 교사가 유아와 학부모를 직접 만나지 못하기 때문에 소통을 위한 다양한 방법이 필요합니다. 전체 유아에게 발송하는 통신문이나 문자 메시지, 그리고 여러 가지 지침과 협조 사항에 대한 안내 등 많은 정보를 주고받아야 합니다. 이때 정서적인 교감이 함께 이루어져야 합니다. 효과적으로 학부모와 소통하는 방법에 대해 깊이 생각해보도록 하겠습니다.

비대면 상담

학부모 상담은 유아들의 가정생활과 유아교육 기관 생활을 공유하여 유아들의 성장을 돕는 중요한 역할을 합니다. 그러나 감염병에 대한 불안으로 학부모와 대면하여 상담하는 것은 매우 어렵습니다. 대면 상담이 어렵더라도 다양한 방법으로 소통해야 합니다. 약속한 시간에 온라인상에서 만나 유아에 대한 정보를 공유하고 이야기를 나누는 것도 좋은 방법입니다.

문자 매체 상담

먼저 학부모의 정확한 연락처를 확보해야 합니다. 부모가 직장생활을 하는 경우도 있고, 주 보호자가 부모가 아닌 조부모 또는 친척인 경우도 있기 때문에 연락을 취해야 하는 대상을 먼저 파악하는 것이 중요합니다. 또한, 너무 잦은 메시지로 서로 불편을 주지 않도록 적당한 선을 지키면 아무 때나 울리는 메시지로 인한 스트레스를 예방할 수 있습니다. 다만, 글을 이용한 상담은 대화로 상담하는 것과 다르게 글에 대한 해석의 차이로 오해가 생길 수 있으니 더욱 주의해야 합니다.

전화 상담

대면 상담에서는 서로 표정을 살피고 아이들의 작품 등을 보여주면서 자연스럽게 상담을 할 수 있지만, 전화 상담에서는 말로만 의견을 전달해야 하므로 서

<비대면 상담을 위해 학부모에게 보낸 자료>

로 표현하는 내용이 충분히 전달되지 않는 경우가 많습니다. 이러한 어려움을 줄이기 위해 전화 상담을 하기 전에 아이들이 놀이하는 자연스러운 모습이나 발표하는 모습을 사진으로 찍어서 부모에게 전달하는 방법을 제안합니다. 또한, 아이들의 놀이 모습 중에서 의미 있는 것을 기록해놓고, 그 사진을 기준으로 다양한 대화거리를 찾아간다면 어색하지 않고 자연스럽게 상담을 이어나갈 수 있습니다.

SNS를 활용한 가정 연계

유아교육 기관에서는 가정과의 연계를 위해 부모와의 상담 및 부모교육을 실시하거나 안내자료를 배부하는 방법을 사용해오고 있습니다. 전화 연락이나 홈페이지를 이용하여 전달하는 것도 필요하지만, 급하게 처리해야 하는 일들과 빠른 소통을 위해 접근성이 좋은 인스타그램, 밴드, 키즈노트 등을 활용하면 많은 도움을 받을 수 있습니다. 단, 유아들의 개인정보가 유출되지 않도록 사진이나 이름 등을 공개하는 데 각별한 주의가 필요합니다.

놀이꾸러미 활용

가정 놀이

놀이 공유

운영위원회(줌 화상회의)

유아교육 기관의 운영과 관련된 내용을 결정하기 위해 자문을 구하거나 심의를 하는 운영위원회도 코로나19로 인해 모임을 갖기 어렵습니다. 특별히 개학 연기, 학사일정 수정 등 긴급하게 처리해야 하는 내용에 대해서 운영위원회 소집을 고민하게 됩니다. 이때 운영위원회 위원들에게 미리 실시간 화상회의 방법을 알려주고 사용하면 상황에 따라 필요한 회의를 진행할 수 있어서 기관의 운영에 차질이 생기지 않습니다.

온라인 부모교육

유아교육 기관마다 부모교육을 실시하고 있을 것입니다. 그러나 감염병에 대한 위험 때문에 다수의 학부모를 모아 부모교육을 하는 것은 거의 불가능한 일이 되었습니다. 이런 경우, 학부모들을 소그룹으로 나누어 충분한 거리를 두고 부모교육을 실시할 수 있습니다. 반별 또는 주제별로 교육 내용을 미리 알리고 신청을 받아 소그룹으로 부모교육을 진행한다면 필요에 따라 학부모의 요구를 만족시킬 수 있습니다. 또한, 대면 교육이 어렵다면 온라인으로 부모교육을 실시하는 것도 생각해볼 수 있습니다.

온라인 부모교육을 하기 위해서는 먼저 신청서를 받은 후, 부모교육에 필요한 워크북, 교육 자료, 온라인 교육에 참여하는 방법(줌 사용법)에 대한 안내 등을 온라인 도구를 이용하거나 필요에 따라 우편으로 발송해야 합니다. 부모교육 후 소감이나 설문조사도 온라인으로 배부하여 수집하는 방법을 추천합니다.

<부모교육 안내>

"행복한 부모, 행복한 자녀"

영보유치원에서는 부모의 효능감을 높이고, 자녀와의 긍정적인 관계 형성에 도움을 드리기 위해
원장이 직접 진행하는 부모교육을 지속적으로 실시하고 있습니다.
올해에는 코로나19로 인해 여러 가지 제한 사항이 많아 대면 교육이 어렵게 되었지만,
이를 대신하여 온라인으로 부모교육을 실시하여 부모님과 소통하고자 합니다.
"언택트(Untact) 상황에도 영보유치원의 부모교육은 온택트(Ontact) 합니다."
실시간 화상회의 앱을 통해 이루어지게 되오니, 학부모님들께서 많은 관심을 가져주시기 바랍니다.

○ ○ 유치원장   김진희

신청시 작성

❖ 날 짜 : 9월 24일(목), 25일(금) 2회
❖ 시 간 : 오전 11시 ~ 12시
❖ 방 법 : 온라인 원격 연수 (ZOOM을 활용한 쌍방향 원격교육)
❖ 신 청 : 네이버폼으로 신청(http://naver.me/GEqPYXQr)

※ 선착순 15명으로 마감하오니 서둘러 신청해주시기 바랍니다.

1일차		2일차	

우리 아이 이해하기 / 놀이의 힘! - 이렇게 놀이해요. PLAY

부모-자녀 좋은 관계 만들기 / 함께 만들며 돈독해지는 관계 WORKSHOP

○ ○ 유 치 원

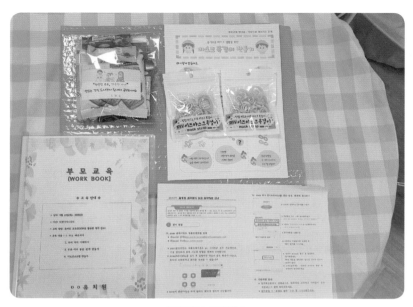

교육자료 우편발송

온라인 부모교육

2장

안전하고
행복한
환경 만들기

유아교육 기관은 아이들이 친구들과 함께 모여 마음껏 뛰어놀고, 많은 것을 탐색하며 성장하는 공간입니다. 유아들은 주변 환경과 끊임없이 상호 작용하면서, 많은 영향을 받게 되므로 유아교육 기관에서의 환경은 매우 중요합니다. 아울러 유아끼리의 상호작용뿐만 아니라 선생님과의 소통도 유아들에게는 꼭 필요한 인적 환경입니다. 그러나 갑작스럽게 찾아온 불청객(코로나19)으로 인해 안타깝게도 유아교육 기관은 아이들이 친구들과 모여 있거나 함께 놀이하기 어려운 공간이 되었습니다.

이렇게 변화된 현실 받아들이고, 다가오는 미래를 대비해 유아교육 기관을 둘러싸고 있는 전반적인 환경을 재구성해야 합니다. 유아들이 놀이하는 공간을 안전하게 구성하고, 사회적 거리는 지키면서 정서적으로 멀어지지 않도록 유아교육 기관의 환경을 구성하려는 노력이 필요합니다.

물리적 환경

원래 유아교육 기관은 아이들의 공간입니다. 그렇기 때문에 아이들에게 맞는 작은 의자, 낮은 책상, 반쪽짜리 화장실 문, 작은 세면대 등의 환경을 갖추고 있습니다. 그런데 언제부터인가 유아교육 기관의 환경이 유아가 아닌 어른들의 시각에서 보기 좋은 환경으로 변화되어 가고 있습니다. 코로나19를 계기로 감염병을 예방하기 위해 건강하고 안전한 공간으로 잘 다듬어서 다시 유아들에게 돌려줍시다.

현관의 모습(달라진 등원 풍경)

현관은 많은 일이 분주하게 일어나는 곳입니다. 특히 등원할 때는 매우 분주합니다. 유아들의 건강 상태를 체크하고 그날 하루의 기분을 살피는 교사, 부모님과 헤어지기 힘들어하는 유아, 유아교육 기관에 자녀를 맡기며 불안한 마음을 표현하는 부모의 모습이 보이기도 합니다.

최근 감염병을 예방하기 위하여 현관의 모습은 많은 변화가 생겼습니다. 등원하는 아이들뿐만 아니라, 출입하는 모든 사람의 체온을 재고, 손을 소독하는 모습이 일상이 되었습니다. 첫 만남이 시작되는 현관을 안정된 공간으로 조성하기 위해서는 차례로 체온을 재고 기록할 수 있도록 분리된 공간을 마련해야 합니다.

또한, 차량을 이용하여 등원하거나 한꺼번에 많은 유아가 출입할 경우에는 열화상 카메라 또는 열감지 스티커 등을 활용하는 방법도 있습니다.

▶ 체온측정 및 기록지 비치, 거리 제한 줄서기 표시
  － 지정된 장소에 서서 차례대로 체온을 측정하고 기록합니다.

사회적 거리 두며 열 체크 및 기록

현관의 모습

열화상 카메라

손 소독제

교실 환경

교실은 유아들이 가장 많은 시간을 보내는 장소입니다. 친구들과 더불어 생활하며 많은 교구와 놀잇감을 공유하는 장소이므로, 청결하게 관리하고 항상 주의 깊게 살펴보아야 합니다.

감염병 예방을 위한 환기 및 소독

유아들이 생활하는 환경을 청결하고 안전하게 관리하기 위해서 주기적으로 창문과 문을 열어 환기를 합니다. 또한 「학교소독 지침」에 따라 소독을 함으로써 감염병을 예방하고 감염병의 전파를 차단합니다.

<환기 및 소독이 필요한 상황>

구분	의심 증상	감염병(예시)
환기	기침, 발열, 발진, 침샘비대, 인후통 등	결핵, 뇌수막염, 디프테리아, 메르스, 백일해, 수두, 수족구병, 유행성이하선염, 인플루엔자, 조류인프루엔자 인체감염증, 중증급성호흡기증후군, 풍진, 홍역, 코로나19 등
소독	구토, 기침, 발열, 발진 설사, 인후통, 충혈, 침샘비대 등	결핵, 급성출혈성결막염, 노로바이러스, 뇌수막염, 디프테리아, 메르스, 백일해, 살모넬라균 감염증, 세균성 이질, 수두, 수족구병, 인플루엔자 유행성결막염, 유행성이하선염, 장출혈성대장균감염증, 장티푸스, 조류인플루엔자 인체감염증, 중증급성호흡기증후군, 콜레라, 파리티푸스, 풍진, 홍역, A형간염, 코로나19 등

제시한 의심 증상이나 감염병 이외에도 환기나 소독이 필요할 수 있음
출처: 유아 감염병 예방·위기대응 매뉴얼(2016) 「환기나 소독이 필요한 상황」 참고, p.27

소독 업체를 통해 소독할 경우 소독 방법은 정기소독 지침에 따라서 시행하되, 유아교육 기관 자체에서 소독을 할 경우에는 다음의 원칙을 준수해야 합니다.

<自체 소독 시 지켜야 할 것>

1. 취약지역(화장실, 쓰레기통 주변, 하수도, 조리실 등)을 집중관리 한다.
2. 책상과 의자를 포함하여 출입문 손잡이, 악기, 교재교구, 키보드 등 유아들이 공통적으로 접촉하는 부분은 소독제를 이용하여 매일 닦는다.
3. 창문 및 출입문을 통해 환기를 하는 경우 최소 2~3시간 동안 계속 열어놓아야 실내 오염을 제거할 수 있다.
4. 소독제를 사용할 때에는 안전사용수칙을 준수한다.
   - 소독제는 식품의약품안전처의 허가를 받은 소독제를 사용하기
   - 사용설명서를 충분히 읽어본 후 사용하기
   - 다른 소독제와 혼합하거나 병행하여 사용하지 않기
   - 희석하여 사용 시 희석 비율을 반드시 지키기
   - 사용 시 마스크, 장갑 등 보호 장구 착용하기
   - 소독제에 피부나 눈이 노출되면 즉시 흐르는 물에 5분 이상 씻어내기

출처: 유아 감염병 예방·위기대응 매뉴얼(2016) 학교소독지침」 p.139 참고

냉난방기 및 공기청정기, 제균기 사용

날씨에 따라 냉난방기를 사용하거나 미세먼지와 이산화탄소를 제거하기 위해 공기청정기를 사용하게 되는데, 이때 감염병의 확산을 막기 위해서 환기가 가장 중요하다는 점을 잊지 않아야 합니다. 감염병에 대한 세균과 바이러스를 제거하기 위해 제균기를 사용할 수도 있습니다.

가림막 설치

놀이나 활동 중에 발생할 수 있는 비말감염을 줄이기 위해 책상에 가림막을 설치하기도 합니다. 다양한 종류의 가림막을 사용할 수 있으나, 서로 얼굴을 보면서 소통할 수 있도록 투명 가림막을 설치하는 것이 좋습니다.

가림막 설치

마스크 쓰기의 생활화

교실에서도 유아들은 마스크를 쓰고 생활해야 합니다. 친구들과 이야기를 하

마스크의 생활화

거나 놀이 중에도 마스크를 쓰는 것이 서로의 안전을 위한 배려입니다.

달라진 자리 배치(일자형, 디귿자형, 네모형 자리 배치)

유아들이 함께 어울려 놀이할 수 있도록 모둠으로 배치했던 책상을 일자형으로 배치함으로써, 유아들이 마주 보며 이야기하는 것을 최소화합니다. 유아들이 서로 가까이 마주 보고 놀이할 수는 없지만, 친구들의 얼굴을 볼 수 있도록 네모형, 디귿자형으로 자리를 배치해주는 것도 좋은 방법입니다.

| 일자형 자리 배치 | 디귿자형 자리 배치 | 긴 책상 활용 |

공간 분리용 칸막이(접이식 도어)

감염병의 위험성을 줄이기 위해 유아들이 한 공간에 모여 있지 않도록 유아들을 분리해서 적은 인원이 모이도록 합니다. 교실 이외에 강당이나 유희실 등 특별실이 있는 경우에는 특별실을 제2의 교실로 활용함으로써 학급 안에서의 밀집도를 낮출 수 있습니다. 이 공간에서는 유아들이 각자의 놀이에 집중할 수 있도록 조작놀이나 종이접기 등의 활동을 제공해주는 것도 좋은 방법입니다. 만약에 공간이 넓다면 활동실의 공간을 분리하여 유아들이 소그룹으로 활동할 수 있도

공간 분리용 칸막이   유희실, 강당 활용

록 칸막이를 설치하는 방법도 고려해볼 수 있습니다.

화장실 환경

감염병 예방을 위해 손 씻기를 강조하는 것은 너무나도 당연하며, 유아들의 손 씻기 공간을 청결하게 제공해주어야 합니다. 유아들이 한꺼번에 몰리지 않고, 차례대로 화장실을 사용할 수 있도록 문밖에서부터 거리두기 표시를 해주고, 손 씻기 포스터나 손 씻기 방법을 부착하는 것도 좋습니다.

화장실 사용 인원 제한

거리두기 표시를 붙여 줌으로써 사회적 거리를 두고 줄서기를 도와주도록 합니다. 화장실 앞에 사용할 수 있는 인원만큼 표시를 해두어 화장실 사용 인원을 제한하는 것도 거리두기를 위한 방법의 하나가 될 수 있습니다.

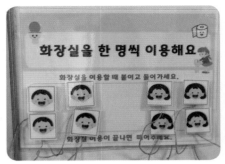

화장실 사용 인원 제한   화장실 줄서기

손 씻기 포스터, 손 씻는 방법 부착

감염병 예방을 위한 손 씻기의 중요성과 효과적인 손 씻기 방법 등을 포스터로 만들어 화장실 입구나 벽에 게시해놓아 손 씻기가 생활화되도록 합니다.

사진 포스터   화장실 사용 및 손 씻기

액상형 비누, 일회용 핸드타월 사용

여러 사람의 손이 닿는 고체형 비누는 감염병 예방에 적절하지 않으므로 액상형 비누를 사용하도록 합니다. 손을 씻고 난 다음에도 수건을 여러 사람이 함께

사용하는 것보다는 개인별 손수건을 사용하거나 일회용 핸드타월을 사용하는 것이 바람직합니다. 일회용 핸드타월은 경제적인 부담과 환경오염에 대한 단점이 있지만, 감염병 예방을 위해 청결을 먼저 고려해야 하겠습니다. 일회용 핸드타월을 사용할 때는 무분별하게 사용하지 않고 적당량을 사용하도록 알려줍니다. (핸드 드라이어는 소리가 너무 커서 유아교육 기관에서의 사용은 적절하지 않음)

물비누>

핸드타월

급식실

식사 시간은 유아들이 끼니에 맞추어 식사를 하는 시간이기도 하지만, 친구들과 담소를 나누면서 몸과 마음의 건강도 함께 키우는 즐거운 시간입니다. 그러나 감염병을 예방하기 위해서 유아들은 서로 마주 보며 식사하거나 친구들과 이야기하지 않고 정해진 시간 내에 밥을 먹어야 합니다. 식사 중에는 마스크를 벗어야 하므로 급식 시간은 교사들이 가장 긴장을 하는 시간입니다. 또한, 급식실이 마련되어 있지 않은 기관에서는 교실에서 배식과 식사가 함께 이루어지므로 청결을 위한 교사들의 세심한 지도가 필요합니다.

시간 차이 두고 식사하기

식사 중에 사회적 거리두기가 가능하도록 식사 시간을 구분하여 그룹으로 나누거나 시차를 두고 식사를 할 수 있도록 합니다.

<교실 순차적 급식 지도 예시>

급식 시간	11:30 ~ 12:10	12:10 ~ 12:50
A그룹	점심식사	실외놀이 및 개별활동
B그룹	실외놀이 및 개별활동	점심식사

<급식실 이용 시간표>

	1차	2차	3차
급식 시간	11:30~12:00	12:10~12:40	12:50~13:30
급식 대상	만 3세	만 4세	만 5세

가림막 설치

가림막 설치   마스크 걸이

식사 중 감염을 막기 위해 가림막을 설치합니다. 식사 중에는 감염의 가능성이 크기 때문에 앞면과 옆면을 모두 막아주는 가림막이 적당합니다. 또한, 식사 중에 벗어둔 마스크를 위생적으로 관리하기 위해 마스크 걸이를 이용하는 것도 좋습니다.

배식 방법의 변화

급식실이 따로 마련되어 있지 않은 기관은 주방에서 보조 인력을 활용하여 미리 식판에 배식을 하고, 뚜껑을 덮어서 나눠주는 방법을 사용하면 안전하게 배식을 할 수 있는 장점이 있습니다.

대각선, 한 방향 앉기

마주 보고 앉으면 식사 중 비말감염이 우려되므로, 비말감염을 최소화하기 위해 대각선으로 또는 한 방향으로 앉아서 식사를 하도록 해야 합니다.

대각선 앉기

한 방향 앉기

식사 후 양치질

양치질을 해야 한다면 시간과 공간을 분리하는 것도 좋은 방법입니다. 비말 감염의 위험을 줄이기 위해 국이 없는 간편식을 제공하기도 하고, 학부모의 동의를 얻어 양치질 대신 충치 예방용 캔디(자일리톨)를 활용하는 방법도 있습니다.

국이 없는 식단

급식 모습의 변화

일시적 관찰실(특별실의 활용)

유아교육 기관에 별도의 일시적 관찰실을 마련하여 필요한 물품을 준비해두면 유아들에게 더욱 안전한 환경이 될 수 있습니다. 일시적 관찰실은 한시적으로 사용하는 시설이므로 기관의 특성을 고려하여 탄력적으로 운영해야 합니다. 별도의 공간이 없는 경우 수면실, 휴게실, 회의실, 원장실 등의 유휴공간을 일시적 관찰실로 지정하여 유사시에 사용할 수 있습니다.

일시적 관찰실의 환경

일시적 관찰실은 감염병 관련 환자 및 담당자 외 다른 사람이 접근하지 못하도록 안내하고, 필요 없는 물건을 치워 넓은 공간을 확보합니다. 감염의 위험을 줄이기 위해 가림막(커튼, 파티션 등)으로 차단하고, 꼭 필요한 방역물품을 구비해 놓아야 합니다.

일시적 관찰실

방역물품 목록 및 비축 기준

방역물품은 유아의 수와 학급 수 등 유아교육 기관의 규모를 고려하여 상시적으로 비축을 해야 합니다. 교실에 비축하는 물품(체온계, 마스크, 장갑, 손 소독제 등)은 가급적 유아들의 손에 닿지 않는 곳에 보관합니다. 또한, 모든 방역물품은 표기된

구비되어 있는 물품

방역물품 비축 권장모형				
비축 목적	방역물품	비축 장소	비축 물량	비고
발열감시	고막체온계, 비접촉식 체온계	교실	교실당 1개	
	고막체온계	보건실	1개 이상	
장갑	의료용 장갑	교실	교실당 5개	라텍스 또는 니트릴 장갑 권장
마스크	방역용(N94)	교실	교실당 5개	
		보건실	20개	
	일회용 마스크	교실	교실당 20개	
		보건실	유아 10명당 3개	
손 소독	알코올 손소독제	교실	교실당 4개(250mL)	
		보건실	8개(250mL)	
환경소독	락스	보건실	2개(5L)	염소용 소독제, 알코올 소독제 등
	살균티슈	보건실	운영일 X 필요물품 수	이소프로필 알콜 70% 이상 함유 제품 권장

출처: 학생 감염병 예방·위기대응 매뉴얼 제2차 개정판(2016.12) 참고

기한까지만 사용하고, 기한이 지나면 폐기하고 재구매하여 비축해야 합니다.

실외 환경

실외 공간은 실내보다 더 편안한 마음으로 뛰어놀 수 있는 물리적 환경에 속합니다. 유아들이 공기의 흐름을 느끼고 자연을 관찰하며, 다양한 놀이를 즐길 수

있도록 마련해주어야 합니다. 그러나 실외에서도 감염병으로부터 서로의 안전을 배려할 수 있는 환경을 제공하는 것이 바람직합니다.

자연을 느낄 수 있는 공간

답답한 실내에서 벗어나 놀이할 수 있는 공간을 마련해주거나, 실외의 자투리 공간을 편리하게 활용하도록 구성합니다.

마당의 자투리 공간 활용

실외 자연체험

하늘을 볼 수 있는 중앙정원

실외 공간 활용

실외 놀이터

실외 놀이터에서는 손을 사용하지 않고 신체를 움직이는 놀이를 제공해준다면 감염병으로부터 안전하고 즐겁게 참여할 수 있습니다.(예: 유니바 건너뛰기, 선 따라 걷기, 감각 균형대 걷기, 징검다리 건너기, 림보 게임 등)

실외놀이

감각 균형대 걷기

유니바 건너뛰기

징검다리 건너기

통학버스(차량 이용)

유아들이 이용하는 통학버스도 감염의 위험을 피해 갈 수 없는 공간입니다. 차량 안전지도를 하는 교사나 통학버스 운전을 담당하는 기사들은 번거로움 때문에 어려움을 호소하기도 합니다. 하지만 감염병으로부터의 안전을 위해 매일 소독 하고 발열 체크를 하며, 통학버스 안에서도 유아들이 거리를 두고 앉을 수 있도록 합니다.

차량 좌석 배치(지정석 운영)

통학버스를 이용하는 유아들도 차 안에서 최대한 떨어져 앉도록 자리를 배치합니다. 또한, 감염자 발생 시 밀접 접촉자를 신속히 관리할 수 있도록 유아별 지정좌석제를 운영할 수 있습니다.

차량 내 자리 표시　　　　　　　　차량 내 거리두기 스티커

통학 차량 이용 방법 안내

가정에서 유아교육 기관까지의 거리가 멀지 않음에도 편의를 위해 차량을 이용하는 유아가 의외로 많습니다. 꼭 필요한 경우가 아니라면 밀폐된 공간인 차량을 이용하지 않고, 걸어서 등원하도록 학부모에게 안내합니다. 이를 위해 통학버스 이용 자제를 위한 안내문을 가정으로 보냅니다.

차량 소독   차량 등원 시 열 체크

차량 이용 안내 예시 자료

차량 이용 수칙

1. 통학 차량 탑승 전 발열을 체크합니다.(37.5도 이상의 경우 탑승하실 수 없습니다.)
2. 차량 안에서는 손을 소독하고 마스크를 착용해야 합니다.
3. 차량 신청자가 많은 경우에는 생활 속 거리두기가 어려울 수 있으니 신중히 생각하셔서 신청해주시기 바랍니다.(소중한 자녀의 건강을 지키고 감염 확산을 방지하기 위하여 되도록 개별 등원해주실 것을 부탁드립니다.)
4. 위의 내용에 동의하시는 경우 차량 이용이 가능합니다.

* 유아교육 기관에서는 매일 차량을 소독하고, 운전자 및 교사의 건강을 확인하며 안전을 위해 노력하겠습니다.

○○유 치 원 장

<**통학차량 이용 자제를 위한 안내문 예시 자료**>

개학 이후 유치원 차량이용에 관한 협조문

안녕하십니까?
어린이들의 건강과 안전을 위하여 협조해 주시는 부모님들께 감사드립니다.
우리유치원 에서는 개학 후 코로나19 확산 방지를 위한 안전한 통학차량 운영방안을 계획하고 있습니다.
그러나 통학차량 내 생활속 거리두기를 실천하기 위해서는 통학차량 이용 유아 수를 최소화 해야 합니다.
이를 위해 도보 등원 및 개별 등원에 대한 학부모님의 적극적인 이해와 참여를 요청드리는 바입니다.
하루 속히 코로나19가 종식되어 일상의 행복을 누리던 그때로 다시 돌아갈 수 있게 되기를 바라며
많은 협조를 부탁 드립니다.

○ ○ 유치원장

유치원 차량 운영방안

1. 근거리 거주 유아는 도보 등원으로 건강과 안전을 지켜주세요.
2. 자가 등원이 가능한 가정에서는 자가 등원을 통해 생활 속 거리두기를 실천해주세요.
3. 유치원 차량 탑승 전 발열을 체크합니다.(37.5도 이상의 경우 탑승하실 수 없습니다.)
4. 탑승을 원하는 경우 생활 속 거리두기가 어려울 수 있음을 이해하시기 바랍니다.
   (매 탑승 시 동의서명 및 체온 기록)
5. 차량 탑승 시 마스크를 착용해야 하며, 손을 소독해야 합니다.
6. 통학 차량 내 손소독제 등 위생용품을 비치하고 차량 운행 후 내·외부를 소독 합니다.

유치원에서는 매일 차량 내 · 외부를 소독하고 차량 탑승 운전자 및 교사의 건강을 확인하며 안전을 위하여 노력하고 있습니다.

유치원 통학차량 이용에 대한 학부모 의견 수렴
(금요일까지 유치원으로 보내주세요)

( )반 이름: ( )

*해당하는 곳에 v표시해주세요.

통학차량 이용 희망여부	통학차량 이용 시 차량 내 밀접접촉 최소화 참여를 위한 이용횟수
1. 도보.(자가)등원 ( ) 2. 통학차량이용 ( )	① 매일 이용 ( ) ② 지정일이용 ( ) → 이용요일: 월, 화, 수, 목, 금 (해당요일에 ○표시)

2장. 안전하고 행복한 환경 만들기 **105**

<통학차량 이용 동의 현황>

유치원 통학차량 이용 유아 동의 현황

년   월   일   담당 :

1. 유치원 차량 탑승 전 발열을 체크합니다.(37.5도 이상의 경우 탑승하실 수 없습니다.)
2. 차량 탑승 시 손을 소독하고 마스크를 착용해야 합니다.
3. 차량 탑승자가 많은 경우에는 생활 속 거리두기가 어려울 수 있으니 차량 이용을 원하지 않는 경우 도보로 등원 바랍니다.
4. 위의 내용에 동의하시는 경우 어린이 이름과 체온을 작성하신 뒤 차량 이용이 가능합니다.

유아명	체온	서명	유아명	체온	서명
	℃			℃	
	℃			℃	
	℃			℃	
	℃			℃	
	℃			℃	
	℃			℃	
	℃			℃	
	℃			℃	
	℃			℃	
	℃			℃	
	℃			℃	
	℃			℃	
	℃			℃	
	℃			℃	
	℃			℃	
	℃			℃	
	℃			℃	

인적 환경

인적 환경의 어려움과 갈등

감염병 예방 매뉴얼 적용의 어려움

현장의 교사들은 매일 수업을 계획하고 실행하며, 하루하루 바쁘게 생활하고 있습니다. 감염병에 대한 전문적 지식과 시간의 부족으로 많은 어려움을 호소하기도 합니다. 감염병에 대처하는 매뉴얼이 제공되기는 하지만, 실제 상황에 잘 적용하고 대처할 수 있을지에 대해 항상 불안감을 갖고 있습니다.

마스크를 쓰고 생활하는 교사와 유아

온종일 마스크를 쓰고 생활해야 하다 보니 교사와 유아들이 서로의 표정을 읽는 것이 거의 불가능합니다. 이러한 일상이 계속되며 교사들은 목소리를 크게 내거나 몸짓언어를 사용하며 유아들과 의사소통을 해야 하므로 쉽게 지치게 되고, 답답함과 피로감이 누적되기도 합니다.

교사 대 유아의 높은 비율

교사 대 유아의 비율이 높은 환경에서는 감염병 예방을 위한 사회적 거리두기가 잘 지켜지기가 어렵습니다. 한 명의 교사가 20~30명의 유아와 직접 대면하여 수업하기에 적절하지 않습니다. 또한, 대면 수업과 온라인 수업을 병행하면서 출석하지 않는 유아도 관리해야 하는 어려움이 있습니다. 이 외에도 사회에서 요구하는 감염병 예방 지침과 교육 현장에서 감당해야 하는 현실 속의 괴리감으로 인해 많은 갈등과 고민이 생겨나고 있습니다.

온라인 수업에 대한 학부모의 어려움

학부모는 자녀가 유아교육 기관에서 교사의 보호 아래 안전하게 일과를 보내는 동안 직장에 출근하거나 가사를 합니다. 그러나 온라인 수업으로 이루어질 경우에는 부모가 육아와 교육을 전담하는 부담을 갖게 됩니다,

특성화 강사, 실습 교사 등 외부 인력의 어려움

비대면(온라인) 수업이 이루어지는 동안에는 특성화 수업을 하기 어렵습니다. 해당 강사들은 수업이 없어 강사료를 지급받지 못하기 때문에 생활에 어려움을 겪습니다. 또한 예비 교사들은 교사 자격을 취득하기 위해 현장실습을 이수해야 하는데, 유아교육기관에서 외부인의 출입을 자제하고 있으므로 교생 실습 기회가 적어지는 어려움이 있습니다.

교직원 간의 정서적 거리감

교직원도 서로 거리를 두고 생활하게 됩니다. 가능하면 대면하지 않고 각자 분

리된 공간에서 연구하고 지내다 보니 협의를 하거나 소통하는 시간이 적어지고, 교직원 사이에 정서적인 거리감도 생기게 됩니다.

인적 환경의 지원 사례

감염병 관리 담당자

감염병의 예방 및 대응을 위해 담당자를 지정하여 신속하고 적절하게 대응합니다. 감염병 관리 담당자는 감염병 매뉴얼의 내용을 전체 교직원이 숙지하여 조직적으로 대응할 수 있도록 안내하고 상황 발생에 필요한 인력을 배치합니다.

유치원 감염병 관리 조직의 기능
- 감염병의 예방관리: 보건교육(위생 수칙), 소독 활동, 의심 환자(접촉자) 관리
- 발생 감시: 감염병 의심 환자의 신속한 파악, 밀접 접촉자 파악
- 유아 관리: 휴업이나 등원 중지 시 유아들의 가정학습 관리
- 학부모 대상 상황 파악
- 등원 중지 유아에 대한 행정 처리, 출결 관리
- 일시적 격리로 인한 교사의 공백에 대한 조치

- 감염병 담당자는 감염병 예방 및 대응을 위해 매뉴얼의 대응 방법 및 절차와 감염병 관련 지식 등을 평소에 잘 숙지하도록 한다.
- 안전담당 교사 등을 감염병 담당자로 지정할 수 있으나, 업무의 숙련도 향상 및 지속성을 위해 담당자의 잦은 교체는 지양한다. 학부

모나 보건소 등 대외 기관과 유기적인 협조 관계 유지를 위해 관리자(원장/원감)를 담당자로 지정할 수도 있다.

<감염병 관리 조직도>

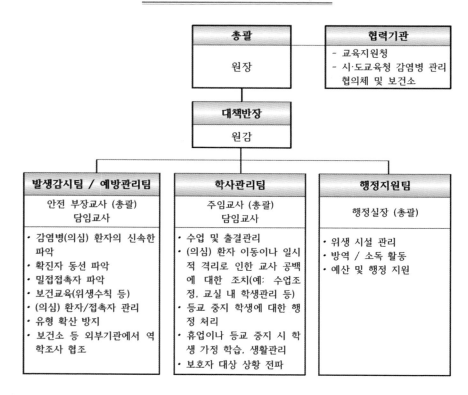

학생 감염병 관리 조직

총괄	협력기관
원장	- 교육지원청 - 시·도교육청 감염병 관리 협의체 및 보건소

대책반장
원감

발생감시팀 / 예방관리팀	학사관리팀	행정지원팀
안전 부장교사 (총괄) 담임교사	주임교사 (총괄) 담임교사	행정실장 (총괄)
• 감염병(의심) 환자의 신속한 파악 • 확진자 동선 파악 • 밀접접촉자 파악 • 보건교육(위생수칙 등) • (의심) 환자/접촉자 관리 • 유형 확산 방지 • 보건소 등 외부기관에서 역학조사 협조	• 수업 및 출결관리 • (의심) 환자 이동이나 일시적 격리로 인한 교사 공백에 대한 조치(예: 수업조정, 교실 내 학생관리 등) • 등교 중지 학생에 대한 행정 처리 • 휴업이나 등교 중지 시 학생 가정 학습, 생활관리 • 보호자 대상 상황 전파	• 위생 시설 관리 • 방역 / 소독 활동 • 예산 및 행정 지원

효율적인 교사 배치 및 보조 인력 지원

하루에도 2~3회 체온을 측정하고, 기록하는 역할까지도 교사가 감당해야 한다면 교사는 쉽게 지치게 되어 수업을 원활하게 진행하기 어렵습니다. 따라서 대면·온라인 수업의 형태에 따라 교사를 효율적으로 배치하는 것과 이에 따른 인력이 필요합니다. 또한, 대면 수업과 온라인 수업을 병행하고, 가정에서 놀이할 수 있는 놀이꾸러미를 제작하는 등 업무가 늘어난 교사들을 위해 보조 인력을 배치하여 필요에 따라 도움을 받을 수 있도록 해야 합니다.

온라인 수업에 대한 학부모의 인식 변화

온라인으로 이루어지는 수업이 더욱 확산되고 다양해지고 있습니다. 유아기 자녀를 둔 학부모의 입장에서는 매일 자녀를 직접 돌봐야 하는 것이 부담이 되기도 하고, 온라인 수업이 자녀의 성장에 도움이 되고 있는지 의문을 갖기도 합니다. 등원수업 뿐 아니라 온라인 수업을 통해서도 다양한 놀이와 활동에 대한 지원이 이루어질 수 있습니다. 온라인 수업이 진행되어도 내 아이가 충분히 관심을 받으며, 보호받고 있다고 신뢰하는 태도가 필요합니다. 따라서 유아가 새로운 세상에 적응하듯이 부모들도 새로운 세상에 대한 인식의 변화가 필요합니다.

동선 확인 및 건강 문진표 작성

특성화 교사와 실습 교사 등 외부의 인력에 대해 건강문진표를 작성하도록 하고, 매일 동선을 체크하는 등 안전을 위해 최대한 노력을 해야 합니다. 교육실습을 하는 학생들도 실습 기간에는 외부 일정을 최소화하고 실습에만 전념하도록 해야 합니다.

<실습교사 및 특성화 강사 기록지>

실습교사 발열 체크 및 동선 기록						
순	이 름	6/29(월)	6/30(화)	7/1(수)	7/2(목)	7/3(금)
1	○○○	℃	℃	℃	℃	℃
		주말 동선 및 건강 특이사항 기록				
2	○○○	℃	℃	℃	℃	℃
		주말 동선 및 건강 특이사항 기록				
3	○○○	℃	℃	℃	℃	℃
		주말 동선 및 건강 특이사항 기록				

특성화 강사 발열 체크 및 동선 기록						
순	이 름	6/29(월)	6/30(화)	7/1(수)	7/2(목)	7/3(금)
1	○○○	℃	℃	℃	℃	℃
		주말 동선 및 건강 특이사항 기록				
2	○○○	℃	℃	℃	℃	℃
		주말 동선 및 건강 특이사항 기록				
3	○○○	℃	℃	℃	℃	℃
		주말 동선 및 건강 특이사항 기록				

외부인 출입관리

날짜	출입자명	연락처	체온	손소독(O/X)	방문목적
			℃		
			℃		
			℃		
			℃		
			℃		
			℃		
			℃		
			℃		
			℃		
			℃		
			℃		
			℃		
			℃		
			℃		
			℃		
			℃		
			℃		
			℃		
			℃		
			℃		

온라인 회식

회식은 동료 교사 간에 서로의 노고를 위로하고 친목을 도모하는 데 중요한 기능을 합니다. 그러나 감염병 예방을 위해 기관에서도 떨어져 있어야 하고, 모임도 자제해야 하다 보니 정서적 거리감이 생기기도 합니다. 이를 해결하는 방법으로 온라인 회식을 제안해봅니다. 온라인 회식 중 서로의 노고를 격려하며, 음식에 대한 품평이나 느낌, 서로의 의견을 간단하게 나눌 수 있습니다. 시간을 정해 교사들의 각 가정으로 음식을 배달시키고, 약속된 시간에 온라인(화상) 통화를 하면서 회식을 하는 방법입니다. 온라인에서의 만남이 교사들에게는 낯설고 새로운 경험이지만, 각자의 공간에서 편안하게 만날 수 있는 온라인 회식도 또 하나의 정서적 지원의 방법입니다. 다만, 너무 부담스럽지 않게 정해놓은 시간을 지켜주는 것이 필요합니다.

온라인 회식

<등원 준비 안내문 예시 자료>

안전한 등원을 위한 준비 안내

우리 유치원에서는 어린이들의 안전을 위하여 이렇게 준비하고 있습니다.

구 분	내 용	세 부 내 용	비 고
등·하원 방법	철저한 체온관리	1. 가정에서 체온 확인 2. 등원 시 현관에서 체온 확인 3. 열화상카메라로 2차 체온 확인 4. 차량 탑승 전 체온 확인 5. 점심시간 및 귀가 전 체온 확인	37.5℃ 이상 발열 시 귀가 조치
	현관 밀집도 최소화	차량과 도보 등원 시간을 나누어 혼잡최소화 1. 차량 도착시간에 따른 그룹 등원: 9시/ 9시 30분/ 10시 2. 도보 어린이는 9시~10시 30분 개별 등원 ※ 돌봄이 필요한 어린이 제외	등원, 귀가 시 거리두기 표지판
원내 활동 (밀집도 최소화 방안)	그룹 활동	한 학급을 소그룹으로 나누어 놀이 활동 실시	시야 확보 및 소통을 위한 투명 칸막이 설치
	공간 활용	그룹 활동 시 필요에 따라 마당, 강당, 복도, 도서실, 유희실 등 다양한 공간 활용하여 밀집도 낮추기	
	거리두기 안내	현관, 복도, 화장실 앞, 정수기 등 어린이들이 모이게 되는 장소마다 거리두기 표시 및 안내교사 배치	
	책상 칸막이 설치	책상에 비말 방지용 칸막이 설치 및 개별놀이 자료 제공	
	급식	1. 한 학급을 두 그룹으로 나누어 순차적 급식지도 <예시> <table><tr><td></td><td>A</td><td>B</td></tr><tr><td>11:30~12:10</td><td>점심</td><td>실외놀이 및 개별놀이</td></tr><tr><td>12:10~12:50</td><td>실외놀이 및 개별놀이</td><td>점심</td></tr></table> 2. 학급별 급식 시간에 차이를 두어 실시 3. 급식 시 교실 내 충분한 간격 두기 4. 개인 물컵(물병) 사용으로 위생관리 철저 5. 비말 감염 줄이기 위한 방법 모색(양치질 대신 자일리톨)	
	화장실	1. 학급별로 이용 시간을 나누어 밀집도 낮추기 2. 개인별로 충분한 거리를 두고 사용할 수 있도록 지도	
마스크 구비	비상용 마스크	1. 마스크 미착용 유아 및 방문자를 위한 마스크 구비 2. 손상된 마스크를 교체하기 위하여 비상용 마스크 구비	배부
방역	철저한 방역	1. 매일 학급별 일상 소독 실시(손잡이, 교구 등) 2. 매일 차량 운행 후 방역 실시 3. 월 2회 방역 실시(코로나 방역, 해충 방역)	
원격수업	원격수업 준비	원내 확진자 발생 등의 비상 상황 발생 시 즉각적으로 원격수업으로 전환이 가능하도록 준비	홈페이지/ 밴드 활용
교직원	교직원 관리	1. 전 교직원 열 체크 2. 교직원 동선 확인 및 관리	

정서적 환경

유아

　친구들과 마음껏 소통하지 못하고, 가정에서 제한된 놀이만 해야 하는 아이들은 심심해하고, 에너지를 발산하지 못해 답답함을 느낄 수 있습니다. 모처럼 등원해도 마스크를 쓰고 생활하므로 친구들의 얼굴과 이름을 익히기 힘든 상황이라서 유아들은 고립감을 느끼기 쉽습니다.

　유아를 위한 정서적 지원
- 이름 불러주기: 마스크를 쓰고 있어도 친구의 얼굴 살펴보고 인사하기
- 친구들의 이름을 활용하여 놀이하기: 친구 이름 써보기, 이름 카드 만들기
- 동영상으로 친구 얼굴 익히기: 직접 만나지 못하는 친구들을 영상으로 찍어 얼굴 익히기
- 편지 주고받기: 유아들이 주고받는 편지는 서로 의미 있게 생각함
- 힐링 음악회: 등원 길 또는 실외 놀이 중 음악 들려주기

힐링 음악회

부모

부모들은 온종일 아이들과 시간을 보내야 하는 상황을 '위기상황'이라고까지 말하기도 합니다. 유아교육 기관에 보내는 것도 감염병에 대한 염려로 불안하고, 기관에 보내지 않고 가정에서 보호하고 있으려니 온종일 자녀와 함께 지내는 것이 시간이 지날수록 점점 더 힘들게 느껴집니다. 또한, 등원을 하지 않는데 수업료를 납부하는 것이 이해하기 어렵고 불만이 생기기도 합니다. 등원하는 방법에 대해서도 맞벌이 부모와 외벌이 부모 사이의 입장 차이가 생길 수 있습니다.

반면에 가족과 함께 지내는 시간이 길어지면서 가족의 소중함을 느끼게 되고, 자녀와 함께 놀이하는 방법을 알아보고 실행해보며 더욱 돈독해졌다고 말하기도 합니다.

부모를 위한 정서적 지원
- 가정에서 부모들이 유아와 할 수 있는 놀이 지원(놀이의 종류, 놀이 방법)
- 가정에서 기본생활습관 지도
- 가족끼리의 스킨십

- 제도적인 지원

- 맞벌이 부모와 외벌이 부모 사이에서의 갈등 해소

- 부모교육을 위한 자료와 간식 보내기

부모교육 자료와 간식(부모교육자료 꾸러미)

교사

학기 초에 교사는 마스크를 쓴 아이들의 얼굴과 이름을 익히기 어렵습니다. 그리고 얼굴도 모르고 신뢰감도 형성되지 않은 학부모와 전화 통화를 하는 것이 많은 부담으로 느껴질 수 있습니다.

또한, 사회성을 기르는 교육에 중점을 두어야 하지만, 사회적 거리를 두고 놀이 지원을 해야 하는 현실 사이에서 많은 심리적 갈등을 느끼게 됩니다. 그뿐만 아니라 교육부의 지침과 학부모의 요구가 달라 많은 어려움이 생기기도 합니다.

교사를 위한 정서적 지원
- 교실에서 함께 할 수 있는 놀이에 대한 지원: 원격, 온라인 수업에 도움이 되는 자료 지원

- 제도적 지원: 인력 지원과 학급 당 유아 수를 감축할 수 있는 제도적 지원 필요
- 응원 메시지: 단체 채팅방을 활용하여 모두에게 힘을 줄 수 있는 격려 메시지로 서로 다독이기
- 소중한 추억: 함께 즐거웠던 옛 추억 사진 소환하여 서로의 소중함 일깨우기
- 분위기 메이커: 웃음이 나오는 재미있는 사진이나 영상으로 분위기 전환하기
- 정서적 지원에 도움을 주는 '도서' 추천
- 온라인 회식

관리자

위기 상황일수록 유아교육 기관의 모든 교육과 운영을 책임지는 관리자(원장, 원감)의 역할이 더욱 중요합니다. 관리자들은 유아교육 기관의 운영을 위해 적절한 지원과 올바른 결정을 해야 하는데, 갑작스러운 변화와 위기 상황에 대해 정확한 판단과 신속한 결정을 해야 하는 부담감이 커지고 있습니다. 개학이 연기되거나 등원이 중지되고, 원격수업으로 전환될 때마다 원격수업에 대한 염려와 부정적인 인식 등으로 인한 교육비 감면을 요구하거나 양육수당을 받으려고 퇴원시키는 학부모가 늘어나기도 합니다. 반대의 경우로 감염병에 대한 사회적인 불안감이 커지는 시기에 유아교육 기관에 보내는 것에 대한 우려의 목소리가 공존하고 있습니다. 부모들은 각자의 입장에서 서로 다른 요구를 하기 때문에 모두를 만족시키기 어려운 상황입니다.

개학이 연기된 후, 학부모의 부담금 감면 등으로 인한 운영의 어려움을 해소하고, 안정적인 운영을 할 수 있도록 지원이 필요합니다. 또한, 원격수업이나 온라인 수업에 대해 긍정적인 학부모의 인식을 위한 홍보와 사회적인 분위기 마련이 필요합니다.

관리자를 위한 정서적 지원

- 원활한 기관 운영을 위한 학부모의 인식 변화(소속감의 중요성 인지)

- 시설 설비 구축을 위한 제도적 지원

- 온라인 수업을 위한 다양한 교육 콘텐츠 안내

- 마음을 담은 롤링 페이퍼(편지 쓰기)

롤링 페이퍼(편지 쓰기)

마음을 담은 응원 카드

3장

교육으로
감염병을 극복하다 1
_ 대면 수업

대면 수업은 말 그대로 얼굴을 마주하며 하는 수업입니다. 코로나19 사태에 밀집도를 최소화하기 위해 교육 현장에서는 개학을 미루고, 원격으로 소통하였습니다. 하지만 이런 감염병 위험 속에서도 교사들은 아이들이 건강하고 안전한 유치원 생활을 할 수 있도록 끊임없이 고민합니다. '생활 속 거리두기'가 가능한 교육환경을 정비하고, 감염 병 위험 상황에서 안전하게 놀이할 수 있는 방법들을 연구하고 있습니다.

코로나 상황 속 달라진 유치원 일과와 아이들의 놀이 이야기, 더불어 감염병 예방하기 를 살펴보겠습니다.

일과 이야기

등원이 달라졌어요

유치원 일과의 시작인 등원 시간은 아이들의 하루 일과에 큰 영향을 줄 수 있는 중요한 시간입니다. 교사가 환한 미소와 따뜻한 말 한마디로 아이들을 맞이한다면 유치원에 등원하는 아이들의 마음은 어떨까요? 어떤 아이는 부모와 헤어져야 하는 힘든 상황을 극복할 힘이 생길 수도 있고, 어떤 아이는 유치원에 대한 소속감을 느껴 유치원 생활에 빨리 적응할 수도 있습니다. 불안한 아이들의 마음을 다독이기 위해 우리는 눈을 맞추고, 따뜻하게 포옹을 해줍니다. 하지만 '거리두기'를 실천해야 하는 상황에서 아이들과 나눌 수 있는 인사 방법에도 여러 가지 제약이 있습니다. 거리를 유지하면서도 반가운 마음을 나눌 수 있는 인사에는 어떤 방법들이 있는지 알아보겠습니다.

우리가 만드는 우리 반 인사
- 춤추기: 서로 마주 보고 반가운 마음을 춤으로 표현해요.
- 발뽀뽀: 발가락을 맞대고 뽀뽀 쪽!

- 팔꿈치 하이파이브: 서로 팔꿈치를 부딪치며 인사해요.
- 하트 인사: 사랑하는 마음을 가득 담아 하트를 날려요.
- 림보 인사: 림보를 하며 눈으로 인사해요.

자유놀이

유치원 교실에서 자유롭게 놀이하는 아이들의 모습을 떠올리면, 서로 엉키고, 뒹굴며 하하호호 즐겁게 노는 아이들의 모습이 그려집니다. 하지만 감염병의 위험에 이런 놀이 모습이 아주 많이 바뀌었습니다.

생활 속 거리두기를 실천하기 위해 개별 책상과 의자를 두고 개별놀이를 하거나, 개인 놀이 바구니 혹은 놀이 가방을 이용하기도 합니다. 친구와 함께 놀기 위해 유치원에 오고, 친구와 함께 놀고 싶은 아이들의 욕구를 채워주면서도 감염병을 예방할 수 있어야 합니다. 위생과 안전을 동시에 지키면서 즐겁게 놀이하는 방법을 알아보겠습니다.

놀이하기 전, 놀잇감도 나도 소독해요

먼저, 교사는 아이들이 사용하는 놀잇감을 주기적으로 소독해야 합니다. 아이들과 함께 직접 장난감 소독기를 사용해보면서 '손 씻기의 중요성'에 대해 이야기 나누어볼 수 있습니다. "너희들이 안전하게 놀이할 수 있도록 놀잇감을 깨끗하게 소독하고 있어요. 깨끗해진 놀잇감으로 놀이하기 전에 우리는 무엇을 해야 할까요?"

아이들이 자주 사용하는 놀잇감은 개인 놀이 바구니(가방)에 보관할 수 있도록 준비해줍니다. 이때 교실에서 공동으로 사용하는 놀잇감 중 개인 놀이 바구니(가방)에 나눌 놀잇감을 정해야 합니다. 많은 아이가 좋아하는 블록의 경우, 한 사람이 얼마만큼의 블록을 가지고 놀 수 있을지도 함께 정해봅니다. 개인 놀이 바구니(가방)에 넣을 놀잇감을 선택하는 과정에서 아이들의 놀이 성향도 파악할 수 있습니다.

매일 아침, 교실에서 자유놀이를 시작하기 전 '놀잇감 뷔페'가 열립니다. 아이들은 내가 오늘 놀이하고 싶은 놀잇감을 필요한 만큼 개인 놀이 바구니(가방)에 스스로 담아봅니다. 놀잇감을 둘러보며, 신중히 선택하는 모습이 마치 뷔페에서

놀잇감 뷔페

음식을 고르는 모습 같습니다. 스스로 선택한 놀잇감으로 충분히 개별놀이를 해 봅니다.

놀이 경험을 나누자

각자 선택한 놀잇감으로 개별놀이를 했지만, 이 놀이를 공유할 수 있는 방법이 있습니다. 아이들은 놀이하면서 겪는 경험을 바탕으로 자기 방식으로 배웁니다. 아이들의 개별놀이는 아이마다의 개성과 특색이 있습니다. 이런 아이들의 놀이 경험을 영상으로 만들어보는 것도 매우 의미 있습니다. 아이들의 개별놀이 상황을 사진이나 영상으로 기록하여 간단히 편집한 후, 전체 아이들과 공유하면 개별놀이라도 친구들과 함께 즐길 수 있습니다. 아이들은 놀이 경험을 나누며 서로 즐기고 배울 수 있습니다.

개별놀이 소개 영상

거리두기가 가능한 협동놀이

감염병 예방을 위해 유아교육 기관에서 아이들의 개별놀이를 장려하고 있습니다. 다양한 개별놀이 방법은 2장을 참고하시기 바랍니다. 이 장에서는 거리두기가 가능한 협동놀이를 소개합니다. 이 놀이 방법은 블록놀이, 미술놀이 등 다양한 놀이에 적용할 수 있습니다.

따로 또 같이 블록놀이

준비물 여러 가지 다양한 블록, 놀이 바구니

놀이 방법
- 유아들이 친구들과 함께 놀이하고 싶은 블록을 정한다.
  "오늘 친구들과 함께 어떤 블록으로 놀이를 해볼까요?"
- 놀이 바구니에 블록을 나누어 갖는다.
  "내가 놀이하고 싶은 블록을 바구니에 담아볼까요?"
- 놀이 공간에 거리를 두고 앉는다.
  "어디에 앉으면 거리두기를 할 수 있을까요?"
- 가위바위보로 놀이 순서를 정한다.
- 순서에 따라 차례대로 블록을 만든다.
  연령에 맞게 한 번에 사용할 블록 개수를 적절히 정하도록 한다.
  "블록을 5개씩 사용해서 내가 만들고 싶은 대로 만들어볼까요?"
  친구가 만든 블록 구성물에 나의 블록을 이어서 만드는 것을 안내한다.
- 자신이 가진 블록을 모두 사용하면 끝이 난다.
- 만들어진 블록 구성물을 보며 함께 이야기 나누어본다.
  "우리가 함께 만든 블록은 어떤 모양인가요?"
  "어떤 모양을 닮았나요?"
  "우리의 작품 이름을 뭐라고 지어볼까요?"

따로 또 같이 블록놀이

릴레이 미술놀이

준비물 전지, 미술도구(색연필, 사인펜 등), 타이머

놀이 방법

- 큰 전지와 내가 사용하고 싶은 개인 미술도구를 준비한다.
- 시간을 잴 수 있는 타이머를 준비한다.(30초)
  연령에 맞게 한 명씩 그림 그릴 시간을 함께 정한다.(그리는 아이들의 입장에선
  충분히 표현할 수 있고, 지켜보는 아이들의 입장에선 지루하지 않은 시간이 되도록 한다.)
- 놀이 순서를 정한다.
- 순서에 맞게 전지에 내 생각대로 마음껏 그림을 그린다.

"친구가 어떤 그림을 그리는지 잘 살펴볼까요?"

그림을 그리는 아이가 집중할 수 있도록 분위기를 조성한다.

친구의 그림을 놀리거나 비웃지 않도록 사전에 이야기 나눈다.

- 친구의 그림을 살펴보고, 더 추가하고 싶은 그림을 이어서 그린다.

"친구가 그린 그림을 살펴보고, 더 그리고 싶은 그림을 이어서 그려볼까
요?"

- 블록놀이와 마찬가지로 미술놀이 작품에 대해 함께 이야기 나누어본다.

"우리가 함께 그린 그림은 어떤 모습인가요?"

"이 그림에 더 이어서 그리고 싶은 그림이 있나요?"

"우리의 작품 이름을 뭐라고 지어볼까요?"

따로 또 같이 미술놀이

정리정돈도 놀이처럼

정리정돈 또한 위생과 안전을 지키며 할 수 있습니다. 정리정돈도 놀이처럼 즐
겁게 할 수 있는 방법을 소개합니다.

환경 미화원

정리정돈 시간에 많이 활용하는 '정리 도우미' 활동에 '집게'를 추가하면 '환경미화원' 활동으로 변형할 수 있습니다. 집게를 이용하면 바닥에 떨어진 놀잇감들을 위생적으로 정리할 수 있습니다. 또 집게를 사용하면서 소근육도 발달시킬 수 있습니다. "우리 반을 깨끗하게 만들어줄 환경 미화원을 모집합니다." 아이들은 역할을 주면 책임감을 가지고 그 역할을 수행해냅니다. 학급에 기여할 수 있다는 사실만으로도 '환경미화원' 역할을 하며, 즐겁게 정리정돈에 참여할 수 있습니다. 아이들이 정리정돈 하는 모습을 구체적으로 격려하고 칭찬해주면 다른 아이들도 정리정돈에 적극적으로 참여하게 됩니다.

환경 미화원

거리두기 정리 기차

이번에는 아이들이 좋아하는 기차놀이를 정리정돈에 연결해보겠습니다. 먼저, 긴 리본 끈과 EVA(혹은 색지)를 이용하여 거리두기 정리 기차를 만들어봅니다. 긴 리본 끈 안에 EVA를 연결하면 기차에 타는 아이들의 간격이 벌어집니다. 이렇게 만든 거리두기 정리 기차를 잘 보관하여 정리정돈 시간마다 활용할 수 있습니다. 처음에는 교사가 기관사 역할을 합니다. "정리 기차 출발합니다. 모두 탑승해주세요." 아이들을 모두 태운 기차가 칙칙폭폭 출발합니다. 기차는 놀잇감이 쌓여 있는 곳에 멈추고, 교사는 이렇게 말합니다. "정리 기차 멈췄습니다. 정리정돈이 모두 끝나고 기차에 탑승해주시면, 정리 기차 다시 출발하겠습니다." 아이들은 기차에서 내려 누구보다 빠르게 정리정돈을 시작합니다. 아이들이 이 정리정돈 방법에 흥미를 느끼고, 익숙해진다면 기관사 역할을 아이들에게 넘겨줍니다. 아이들은 기관사가 되어 교실 곳곳을 다니며, 정리정돈이 필요한 곳을 스스로 알고 정리할 수 있습니다.

TIP • 정리 기차에 탈 수 있는 인원이 제한되어 있기 때문에, 모둠별로 기차를 만들어 정리정돈을 하거나 정리 기차에 타는 순서를 정하여 정리정돈을 할 수 있습니다. 많은 아이가 정리 기차를 이용하면, 동선이 겹칠 수 있으므로 사전에 교실에서 동선을 정하면 아이들이 부딪히는 문제를 예방할 수 있습니다. 또한, 다른 정리정돈 방법과 병행하여 활용한다면 혼잡한 상황을 피할 수 있습니다.

거리두기 정리 기차

정리 방송국

아이들이 좋아하는 '마이크'를 활용하여 방송국 놀이로 정리정돈을 하는 방법입니다. 마이크를 잡고 방송처럼 말합니다. "아~ 아~ 여기는 ○○ 방송국입니다. 지금 ○○ 교실에 놀잇감이 마구 흩어져 있다는 소식을 전해드립니다. 말씀드리는 순간, 교실 뒤에 있던 공룡들이 모두 집으로 돌아가고 있군요. 공룡을 정리해준 ◎◎ 어린이에게 정리 소감을 물어보겠습니다." 이렇게 정리를 하는 아이들을 격려하고, 아이들에게 정리 소감을 묻는다면 나머지 아이들 또한 정리정돈에 재미를 붙일 수 있습니다.

정리 방송국

거리 두며 화장실 다녀오기

화장실에서 거리두기 역시 중요합니다. 화장실은 아이들이 일과 중에 수시로 드나드는 곳이며, 아이들의 생리적 욕구(배변)에 따라 밀집도가 높아질 수 있는 공간입니다. 화장실에서 용변을 보거나 손을 씻으며, 거리두기를 실천하기 위해서는 아이들이 이해하고 실천할 수 있는 약속을 정하는 것이 중요합니다.

화장실을 사용하는 최소한의 인원수를 정하고, 아이들이 화장실 사용 인원을 알 수 있도록 합니다. 큰 연령은 글자를 함께 읽어보며 화장실에서 지켜야 할 약속을 알아볼 수 있고, 어린 연령은 신호등 색깔(초록색, 빨간색)로 알아보며 화장실

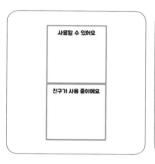

화장실 사용 안내판

약속을 나누어보면 좋습니다. "스티커가 무슨 색판에 붙어 있어야 화장실을 갈 수 있을까요?"

점심 식사

점심시간이야말로 아이들에겐 마스크를 벗을 수 있어 상쾌하고, 친구와 선생님의 얼굴을 볼 수 있는 행복한 시간입니다. 하지만 급식실은 유치원에서 감염병 전염이 가장 우려되는 곳입니다. 밥을 먹을 때는 마스크를 벗기 때문에 감염을 막기 위한 노력이 더욱더 필요합니다. 식사를 하기 위해 벗어둔 마스크도 위생적으로 관리해야 하니, 마스크 보관함이나 마스크 걸이를 사용할 수 있습니다. 이러한 물리적 환경이 준비되었다면, 점심을 먹으러 이동합니다. 이동하기 전, 감염의 위험을 막기 위해 안전 약속을 한 번 더 나누어봅니다.

"마스크 벗고 이야기를 나누면 어떻게 될까요?"

"서로 침이 튀어요."

"급식실에서 하고 싶은 이야기가 있을 때는 어떻게 하면 좋을까요?"

"손을 들고 말해요. 몸으로 말해요."

코로나 예방교육 약속판

하지만 아이들 역시 이 상황이 힘들고 답답합니다. 약속을 알고는 있지만 여러 가지 약속을 지키기가 마음처럼 쉽지 않습니다. 우리가 지켜야 할 약속을 놀이로 접근해보면 어떨까요? 우리만의 비밀신호를 만드는 방법을 소개합니다. 식사 중 꼭 필요한 이야기를 눈이나 손가락으로 신호를 만들어 감염 위험 없이 서로 소통하는 방법입니다. 일명 '몸으로 말해요 - 우리 반 식사 암호' 라고도 합니다.

또한, 아이들은 모든 사물이 살아 움직인다고 생각합니다. 이러한 특성을 고려하여 감염 예방 급식 지도를 할 수 있습니다. 예를 들면, 식사 중 마스크로 장난을 치는 아이가 있습니다. 바이러스 감염을 막기 위해 우리가 사용하는 마스크는 가장 청결해야 합니다. 하지만 이 마스크가 바닥에 떨어지거나 여러 가지 오염물이 묻는다면, 바이러스로부터 우리의 몸을 지키기 어렵습니다. 마스크 보관함이나

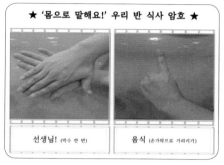
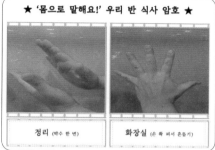

몸으로 말해요 - 우리 반 식사 암호 예시

마스크 걸이를 활용한다면 이렇게 이야기할 수 있어요.

(마스크 보관함) "지금은 나도 소독하는 중이야. 너는 밥을 맛있게 먹고, 나는 소독을 잘하고 우리 다시 만나자!"

(마스크 걸이) "내가 여기에서 네가 밥 먹는 모습을 잘 보고 있을게. 천천히 꼭꼭 씹어서 맛있게 먹고 다시 만나~"

마스크 걸이 사용 시에는 마스크 걸이의 올바른 사용법도 함께 이야기해줄 수 있습니다.

(마스크 걸이) "네 예쁜 입과 만나는 안쪽을 가림막에 닿게 두면, 나는 오염될 수도 있어. 나는 바깥쪽이 가림막에 닿도록 걸어줘. 부탁해~!"

감염병의 위험과 맞닿은 현실에서 아이들에게는 마스크야말로 가장 오랜 시간 동안 나의 일상을 함께하는 친구입니다. 마스크를 소중히 여기는 마음을 길러준다면, 마스크를 관리하는 습관을 자연스럽게 기를 수 있습니다.

귀가도 달라졌어요

마스크 착용이 생활화되면 교사와 부모는 서로의 얼굴을 제대로 알지도 못한 채, 소통의 어려움을 겪게 됩니다. 특히 교사는 많은 아이가 귀가해야 하는 상황에서 부모님을 알아보기 힘들어 귀가 지도에 어려움을 겪습니다. 마스크를 쓰면서도 아이들의 귀가를 안전하게 지도하는 방법을 안내합니다.

휴대폰 전광판 활용하기

휴대폰 전광판을 활용하면 멀리 있어도 메시지를 한눈에 알아볼 수 있습니다. 휴대폰 전광판 앱을 이용하여 '사랑반 ○○○'을 입력해두면, 아이들에게 "엄마나 아빠 오셨니?" 혹은 부모님들께 "○○이 부모님 오셨나요?" 물어볼 필요 없이 전광판의 이름을 보고 부모님을 찾을 수 있습니다.

반별 거리두기

귀가 시간에는 모든 학급에서 귀가 지도가 이루어지기 때문에 유치원 현관이 매우 혼잡합니다. 동시에 많은 인원이 몰릴 경우, 거리두기가 어렵기 때문에 각 학급에서는 시차를 두고 귀가 지도를 준비합니다. 부모님들은 학급 팻말 뒤로 거리두기를 하며 줄을 서서 아이들을 기다립니다. 아이들도 학부모님들도 안전하게 귀가할 수 있습니다.

유치원의 상황에 따라 시간를 두어 귀가 지도를 합니다. 준비된 시간표에 따라 이동을 하면, 혼잡을 피할 수 있습니다.

놀이 들여다보기

　유아들은 성향과 기질, 상황에 따라서 혼자서 놀이하거나 친구들과 함께 놀이하기도 합니다. 이처럼 놀이 방식이 다양하지만, 코로나19가 지속적으로 확산되면서 유아들에게 개별놀이나 친구와 함께 놀 때 사회적 거리를 두며 놀도록 권유하고 있습니다.

　'코로나19'라는 특수한 환경에 의해 유아들의 놀이 방식이 많이 달라졌으나, 유아들은 놀잇감과 친구가 되어 혼자서도 다양한 방법으로 놀이합니다. 유아들이 좀 더 다채로운 개별놀이를 경험하고 그 속에서 또 다른 놀이를 발견할 수 있도록 다양한 개별놀이를 소개합니다.

　개별놀이는 교사가 제안한 놀이와 유아가 제안한 놀이로 나누어 제시했습니다. 또한, 개별놀이에서 끝나는 것이 아니라 친구들과 함께하는 즐거움을 안전하게 경험할 수 있도록 '거리두며 함께 놀기'로 확장하여 구성했습니다.

개별놀이에서 거리두며 함께 놀이로

    다음에 소개하는 개별놀이는 유아교육 기관에서 할 수 있을 뿐만 아니라, 비대면 수업으로 전환할 경우 가정에서도 할 수 있습니다. 유아의 놀이 과정과 놀이 속에서 일어나는 배움을 '놀이 기록 예시'에 기록했습니다. 교육기관이나 가정에서 아래 제시된 놀이를 할 경우 '놀이 기록 예시'를 참조하여 놀이 결과를 예측하거나 새로운 놀이 방법을 적용할 수 있으며, 또 놀이 기록 방법의 예시로 참조할 수 있습니다.

교사가 제안한 놀이
전통놀이의 변신

    유아들이 처음에 전통놀이를 접했을 때 낯설어하거나 어려워할 수 있습니다. 따라서 어떠한 행사나 특정한 날에만 전통놀이를 하는 것이 아니라, 언제든지 자주 접해볼 수 있는 경험을 제공해주어 유아들이 전통놀이에 관심을 갖고 자긍심을 느끼도록 도와줍니다. 유아들이 전통놀이에 친숙해지면 다양한 방식으로 전통놀이를 재구성하여 놀이할 수 있습니다. 이러한 놀이 경험을 통해 유아들은 한 가지 놀이에서 다양한 놀이를 발견할 수 있으며, 자신만의 놀이로 확장시킬 수 있습니다.

젠가 비석치기
준비물 젠가

어떻게 놀이할까?
• 도착점에 젠가를 세워놓는다.

- 손 위에 자신이 원하는 방법으로 젠가를 올려놓는다.(손가락 두 개 위에 올려놓기 / 손 등에 올려놓기 / 주먹 위에 올려놓기 등)
- 젠가를 올려놓은 손을 이동한 다음, 도착점에 있는 젠가 위에 떨어트린다.

두 개의 손가락으로 비석서기

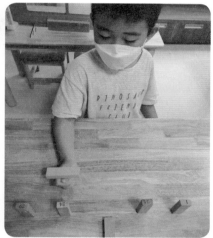

주먹 위에 올려놓고 비석치기

거리두며 함께 놀기

- 거리를 두고 앉은 다음, 도착점에 각각의 비석 4개를 세워 둔다.
- 순서를 정한 다음, 첫 번째 유아가 방법을 제안한다.(엄지와 중지로 젠가 잡기, 손가락 3개 위에 올려놓기 등)
- 제안한 방법대로 젠가 비석치기를 한다.
- 그다음 유아가 제안한 방법대로 젠가 비석치기를 한다.(손바닥을 모은 후, 손가락 끝에 올려놓기, 손바닥 위에 올려놓기 등)

  ※ 친구가 제안한 방법이 어려우면 서로 의논하여 방법을 바꿀 수 있다.
- 먼저 4개를 다 쓰러트리면 놀이가 끝난다.

집게처럼 잡아서 비석치기 해봐!　　　　친구가 말한 방법대로 비석치기를 해요!

놀이 기록 예시

처음에는 젠가를 한 개의 손가락 위에 올려놓고 움직이려고 하자, 젠가가 중심을 못 잡고 떨어졌습니다. 유아는 몇 번 시도한 끝에 겨우 비석치기를 했으나, 놀이하는 과정을 통해 손가락 한 개보다는 두 개로 하는 것이 더 편하다는 것을 발견했습니다. 또한 "손 등에도 올려놓을 수 있어요", "주먹을 쥐고 그 위에 올리면 더 편할 것 같아요" 등 다양한 방법으로 놀이하는 모습을 보였습니다.

손가락 사방치기(Ⅰ)

준비물 A4 크기 사방치기 틀, 지름 2㎝ 크기로 뭉친 휴지

어떻게 놀이할까?

- 사방치기 틀을 살펴보면서 어떤 숫자가 있는지 알아본 다음, 숫자 순서대로 휴지 뭉친 것을 놓을 때 어떻게 손가락을 움직이면 될지 살펴본다.
- 출발선에서 휴지 뭉친 것을 해당 숫자에 손가락으로 튕겨서 놓는다. 만약

휴지를 튕겨서 놓는 것이 어렵거나 힘 조절이 안 될 경우 아래 예시 방법대로 해본다.(숫자 근처에서 휴지 뭉친 것 떨어뜨리기, 숫자 위에 올려놓기 등)

- 1번 숫자 칸에 휴지가 들어가면 검지와 중지 두 손가락을 이용해 사방치기 칸에 갔다가 돌아온다. 검지와 중지가 아닌 다른 두 손가락을 이용해도 된다.
- 뭉친 휴지가 내가 놓아야 할 숫자가 아닌 다른 숫자에 들어가면 다시 해본다.
- 그다음 숫자인 2~8번도 차례대로 같은 방법으로 손가락 사방치기를 한다.

  (손가락 사방치기 예시 : 숫자 1에 휴지 뭉친 것을 놓았을 때)

  − 숫자 2: 검지만 숫자 2 위에 놓기

  − 숫자 3: 검지만 숫자 3 위에 놓기

  − 숫자 4, 5: 검지와 중지를 벌려서 숫자 4와 5 위에 놓기

  − 숫자 6: 검지만 숫자 6 위에 놓기

  − 숫자 7, 8: 검지와 중지를 벌려서 숫자 7과 8 위에 놓기

  − 되돌아올 때: 위와 같은 방법으로 7, 8 → 6 → 4, 5 → 3 → 2 → 도착

※ '딴! 딴! 딴! 딴!', '뚜! 뚜! 뚜! 뚜!', '아 에 이 오 우 발성노래' 등과 같이 간단한 구음이나 노래를 부르면서 하면 더 재밌게 할 수 있다.

숫자 1에 휴지 뭉친 것을 놓아요

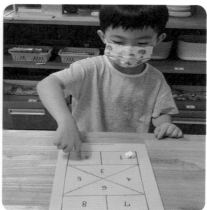
숫자 2부터 손가락 사방치기 출발!

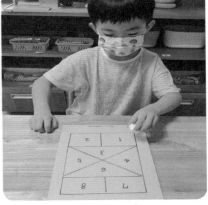

노래를 부르면서 다시 되돌아와요!　　　숫자 1에 있는 휴지를 갖고 다시 들어와요!

거리두며 함께 놀기

- 두 유아가 거리를 두고 앉은 다음, 각자 사방치기 판과 뭉친 휴지를 책상 위에 올려놓는다.
- 가위바위보로 순서를 정한다.
- 먼저 1~8번 칸까지 갔다가 돌아오면 놀이가 끝난다.
- 친구와 함께 사방치기판과 휴지로 또 어떤 놀이를 할 수 있을지 생각해본 후, 그 방법으로 놀이해본다.

누가 먼저 할까?　　　내가 먼저! 숫자 1에 놓고 출발!

놀이 기록 예시

민속놀이의 날에 사방치기를 해본 경험이 있어서 "어, 나 이거 알아!"라고 말하며 관심을 보였습니다. 처음에 뭉친 휴지를 손가락으로 튕겼는데 힘 조절이 안 되어 사방치기 판밖으로 멀리 날아갔습니다. 유아는 몇 번 더 시도하다가 잘되지 않자, 1번 위에서 휴지 뭉친 것을 살짝 떨어트렸습니다. 드디어 휴지가 숫자 1에 놓이자 숫자 2, 3에서는 검지손가락을 놓고, 숫자 4와 5에서는 검지와 중지 두 개의 손가락을 벌려서 놓는데 혹시 잘못 놓을까 봐 천천히 하는 모습을 보였습니다. 손가락이 숫자 7과 8까지 갔다가 되돌아오자 얼굴에 미소를 지으며 박수를 쳤습니다.

종이컵 손가락 사방치기(Ⅱ)

준비물 종이컵, 작은 블록, 주머니, 숫자 적힌 종이(1~8), 작은 바구니

어떻게 놀이할까?

- 종이컵에 숫자를 1~8까지 적은 다음, 사방치기 모양으로 놓는다.
- 1~8까지 적힌 종이를 두 번 접어 주머니에 넣는다.
- 주머니에서 종이 하나를 꺼낸다. 종이에 적힌 숫자를 본 후, 다시 바구니에 담는다.
- 만약 1번 숫자가 나오면 1번 숫자 칸에 작은 블록을 놓고 검지와 중지 두 손가락을 이용해 사방치기 칸에 갔다가 돌아온다. 검지와 중지가 아닌 다른 두 손가락을 이용해도 된다.
- ※ 종이컵 사방치기도 손가락 사방치기와 동일하게 진행하며, '딴! 딴! 딴! 딴!', '뚜! 뚜! 뚜! 뚜!', '아 에 이 오 우 발성노래' 등과 같이 간단한 구음이

나 노래를 부르면서 해본다.

※ 종이컵 사이가 벌어지면 다시 모아서 놀이한다.

주머니에서 숫자 종이를 뽑아요

어떤 숫자가 나왔을까?

해당하는 종이컵 위에 블록을 놓아요

손가락으로 종이컵 사방치기를 해요

거리두며 함께 놀기

• 두 유아가 거리를 두고 앉은 다음, 각자 사방치기 종이컵과 주머니, 숫자 종

이(1~8), 작은 블록 8개, 작은 바구니를 책상 위에 올려놓는다.

- 가위바위보로 순서를 정한다.
- 주머니에서 숫자 종이를 하나 뽑은 후, 해당하는 숫자에 블록을 올려놓고 두 손가락으로 사방치기 종이컵 8번까지 갔다가 돌아온다. 돌아올 때 블록은 갖고 들어오지 않고 종이컵 위에 올려놓는다.
- 차례가 되어 숫자를 뽑았는데 블록이 놓여 있는 숫자가 또 나오면 사방치기를 할 수 없으며, 다른 친구에게 순서가 돌아간다.
- 먼저 1~8번 종이컵에 블록을 다 올려놓으면 놀이가 끝난다.
- 친구와 함께 종이컵 사방치기판과 휴지로 또 어떤 놀이를 할 수 있을지 생각해본 후, 그 방법으로 놀이해본다.

내가 이겼어. 내가 먼저 할게

블록이 있는 컵을 피해서 가요

놀이 기록 예시

평면이 아닌 입체로 된 종이컵 사방치기가 제시되자 유아들은 더 흥미를 보였습니다. 손가락을 4와 5번에 놓았을 때 종이컵이 서로 벌어지자 "어? 종이컵이 움직여. 어떡하지?"라고 말하면서 종이컵이 벌어지지 않게 왼손으로 종이컵 한쪽 옆을 막기도 했습니다. 손이 작아 검지와 중지로 손가락을 벌리기가 불편한 유아는 엄지와 검지를 사용하여 이동하기도 했습니다. 놀이를 하는 도중 문제가 발생하자 포기하지 않고 끝까지 방법을 찾아 해결해나가는 유아들의 모습에서 놀이 속 배움을 다시 한번 느꼈습니다.

동대문 변신 놀이

준비물 동그라미 종이 3개, 바구니, 놀이 카드(숫자 카드 3~8 또는 그림 카드)
※ 숫자 카드는 교사나 유아가 종이에 숫자를 적어서 사용할 수 있다.

어떻게 놀이할까?

• 동그라미 3개를 징검다리처럼 나란히 놓은 다음, 맨 위에는 숫자 카드를 넣은 바구니를 놓는다.
• 양손 검지를 첫 번째 징검다리 위에 올려놓은 다음, '동대문' 노래를 부르며 바구니까지 이동한다.
  – 동동 동대문을 열어라: 양손 검지로 첫 번째 징검다리 두드리기
  – 남남 남대문을 열어라: 양손 검지로 두 번째 징검다리 두드리기
  – 12시가 되면은: 양손 검지로 세 번째 징검다리 두드리기
  – 문이 열린다: 바구니에서 종이 하나 꺼내 펼쳐보기
• 바구니에서 숫자 카드를 뽑은 다음, 숫자만큼 블록을 구성한다.

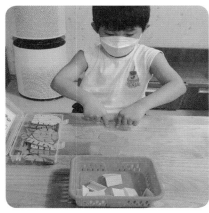

두 개의 손가락으로 두드리며 노래 불러요

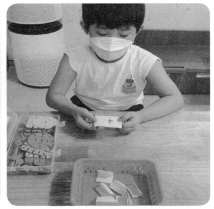

어떤 숫자가 나왔을까?

숫자만큼 블록으로 만들어요   그림 보고 블록 만들기

- 숫자 카드를 사용하여 블록 구성놀이가 끝나면 앞에서와 같은 방법으로 그림 카드를 제시하여 구성해본다.

거리두며 함께 놀기

- 거리를 두고 앉은 다음 함께 '동대문' 노래를 부르며, 손가락을 두드린다.
- 바구니에서 숫자 카드를 뽑은 다음, 숫자만큼 블록을 구성한다.(숫자는 3~8까지 제한한다)
- 블록 구성놀이가 끝나면, 자신이 만든 것을 친구에게 소개한다.

함께 노래를 불러요   어떤 숫자가 나왔을까?

블록으로 숫자만큼 만들어요

내가 만든 것을 소개해요

놀이 기록 예시

혼자서 '동대문' 노래를 부를 때 주변 친구를 의식하면서 작은 목소리로 불러 교사가 같이 불러주자 큰 소리로 부르는 모습을 보였습니다. 또한 손가락 두 개로 동그라미를 두드릴 때 세게 두드렸는지 "아, 아프다!"라고 말하면서 스스로 손가락 힘을 조절했습니다. 무엇보다 바구니에서 종이를 꺼내 문처럼 열어 볼 때는 "어떤 숫자가 나올까?"라고 혼잣말을 하면서 천천히 열어봤으며, 숫자만큼 나온 블록으로 자유롭게 구성할 때는 "재미있어요. 또 만들고 싶어요"라고 말하면서 즐거워했습니다. 유아들이 좋아하는 전래동요와 전통놀이, 블록 구성이 어우러진 놀이라 더 흥미를 갖고 적극적으로 참여했습니다.

손수건(스카프) 접기

유아들이 가장 많이 흥미를 보이는 활동 중 하나가 종이접기입니다. 종이를 이리저리 접어 작품을 완성하면, 완성했다는 만족감에 함박웃음을 지으며 좋아합니다. 또한, 자신의 작품을 선생님과 친구들에게 소개하기도 하고, 망가질까 봐 소중하게 간직합니다. 하지만 간혹 종이가 찢어지거나 구겨져서 속상해할 때가 있습니다. 그래서 색종이뿐만 아니라 손수건이나 스카프로도 무언가를 접을 수 있음을 안내합니다. 손수건이나 스카프는 접다가 흐트러지기도 하지만 언제든지 다시 접을 수 있습니다. 또 미끄러지고 잘 안 접힐 때 쉽게 접는 방법을 유아 스스로 찾을 수 있으며, 그 안에서 문제를 해결하는 방법을 경험할 수 있습니다.

준비물　손수건(네모 스카프, 손수건 크기의 보자기)

어떻게 놀이할까?

- 손수건으로 기본 접기를 해본다. 손수건 대신 네모 스카프, 손수건 크기의 보자기를 사용할 수 있다.(기본 접기 예시: 세모 접기, 네모 접기, 아이스크림 접기 등)
- 손수건 접기 사진 자료를 보면서 내가 접고 싶은 것을 정한다.
- 손수건을 사용하여 접기를 한 다음, 완성된 작품에 이름을 지어본다.
- 손수건 접기 책에 있는 것 외에 유아들이 원하는 것을 자유롭게 접어본다.
- 자신이 접은 작품에 이름을 지어본 후, 이야기를 꾸며 말해본다.

교사가 제안한 손수건(스카프) 접기

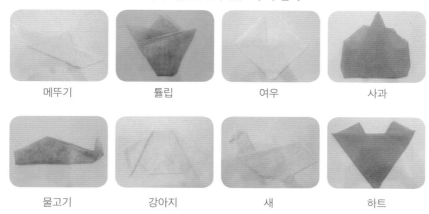

| 메뚜기 | 튤립 | 여우 | 사과 |

| 물고기 | 강아지 | 새 | 하트 |

유아가 제안한 자유로운 손수건(스카프) 접기

복숭아	도마뱀 수영장	넥타이	편지
팽이	대문	빵	<리

놀이 기록 예시

종이가 아닌 스카프를 제시하자 유아들은 "어떻게 접지?", "자꾸 풀려지는 것 같아. 어떡하지?" 등 당황하는 모습을 보였으나, 한 손으로 천 끝을 잡거나 책상에 올려놓고 하나씩 접어 보는 모습을 보였습니다. 종이처럼 정교하게 접을 수는 없지만 천을 이용한 접기라 유아들의 관심이 높았으며, "종이가 아니어서 이상했지만, 틀려도 다시 접을 수 있으니까 좋아요"라고 말하며 스카프 접기의 장점을 발견했습니다.

어디로 갈까?

유아들은 다양한 공간 경험을 통해 방향을 탐색합니다. 이 시기 유아들에게 오른손으로 손가락 잡기, 책상 아래에 있는 장난감 가져오기, 책상 가운데를 손가락으로 짚기 등 실생활에서 자주 사용하는 방향과 관련된 어휘나 놀이를 통해 관심을 가지도록 돕습니다. 이러한 경험을 통해 유아들은 주변 환경에 있는 방향 표시에 더 친숙해지며, 자신을 기준으로 방향을 구분할 수 있게 됩니다.

준비물   네모 칸 있는 종이, 막대 6개(방향 표시 : →, ←, ↑, ↓, ↖, ↘), 빈 통, 말

어떻게 놀이할까?

• 네모 칸이 있는 종이를 살펴본다.

• 막대 위에 어떤 방향 표시가 있는지 살펴본다.
  − 이때 막대는 상자를 잘라서 준비한다.
  − 상자가 없으면 아이스바 막대나 주사위에 방향 표시를 그려서 사용해도
    된다.

• 말을 가운데 칸에 올려놓는다.

• 통에서 막대 하나를 뽑은 다음, 방향대로 말을 옮긴다.

• 종이 한쪽 끝에 도착하면 끝난다.

막대를 뽑아 방향을 살펴봐요

방향대로 말을 이동해요

거리두며 함께 놀기

- 친구와 순서를 정한다.
- 친구가 뽑은 막대의 방향대로 나의 말을 옮긴다.
- 먼저 종이 한쪽 끝에 도착하면 놀이가 끝난다.

오른쪽 위로 가세요

친구가 뽑은 방향대로 움직여요!

놀이 기록 예시

유아들은 막대에 있는 방향을 살펴보면서 방향에 따라 말을 이동하는 것은 잘 했으나, 방향 어휘를 사용하기보다는 "여기다. 이쪽이다"라고 말하며 말을 옮겼습니다. 이처럼 왼쪽과 오른쪽, 특히 대각선 방향은 어떤 말로 표현해야 할지 망설이는 모습을 보였으나, 방향에 따라 말을 계속 옮겨 가면서 "이건 어느 쪽이에요? 뭐라고 말해요?"라고 물어보며 방향 어휘에 점차 관심을 보였습니다.

퍼즐 만들기

유아들은 퍼즐 놀이에 관심이 많고 즐겨합니다. 시중에서 판매하는 퍼즐만 갖고 놀이하는 것이 아니라 유아들이 직접 퍼즐을 만들어 놀이할 수도 있습니다. 그림 종이를 조각내어 퍼즐 맞추기, 반쪽 그림을 완성한 다음 조각내어 퍼즐 맞추기, 직접 그림을 그린 다음 조각내어 퍼즐 맞추기 등 다양한 방법으로 퍼즐 놀이를 할 수 있습니다. 이러한 퍼즐 놀이는 내가 직접 만들었기 때문에 시중에서 파는 퍼즐보다 더 가치가 있습니다. 또한 몇 조각을 만들지, 퍼즐 조각을 어디에 올려놓을지 등 스스로 궁리하며 해결하는 가운데 문제를 해결하는 방법을 경험하게 됩니다. 이 장에서는 여러 가지 퍼즐 만들기 중에 반쪽 그림만 있는 종이로 퍼즐을 만드는 방법에 대해 소개합니다.

준비물 반쪽 그림만 인쇄된 도화지, 색연필, 가위

어떻게 놀이할까?

- 반쪽 그림만 있는 종이를 살펴본 다음, 나머지 반쪽을 이어서 그린다.
- 색연필로 그림을 색칠한다.
- 몇 조각으로 나눌지 생각한 후, 퍼즐 뒷면에 연필이나 색연필로 조각 선을 그린다.
- 가위로 그림을 오린 다음, 그림 조각으로 퍼즐을 맞춰본다.
- 퍼즐을 다 완성하면 끝난다.

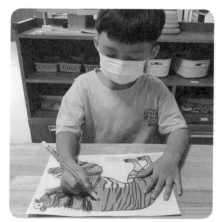
반쪽 그림을 그려요

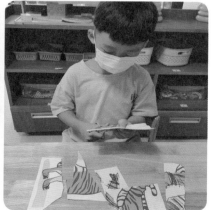
조각을 나눈 후, 가위로 오려요

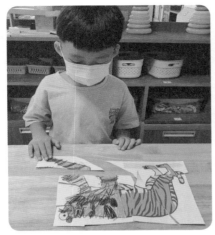 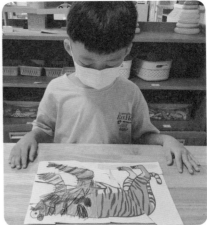

퍼즐을 맞춰요   퍼즐 완성!

거리두며 함께 놀기

- 각각의 바구니에 퍼즐 조각을 담아 둔다.
- 가위바위보를 한다.
- 이긴 유아가 자신의 바구니에서 퍼즐 조각을 하나 꺼내 맞춘다.
- 퍼즐을 완성하면 어떤 그림인지 이야기를 꾸며 말해본다.
- 자신이 만든 퍼즐 조각을 살펴본다.
- 모두 몇 조각인지 세어본다.

가위, 바위, 보를 해요!   퍼즐을 맞춰 보세요

놀이 기록 예시

유아들은 완성된 그림을 퍼즐 조각으로 나눌 때 몇 조각으로 나눠야 할지 고민하는 모습을 보였습니다. 조각을 크게 나눈 유아는 퍼즐 맞추기가 쉽게 끝나 아쉬워했으며, 조각을 아주 작게 나눈 유아는 맞추기가 어려워 한참을 생각하면서 놓아보았습니다. 또 자신이 만든 퍼즐을 보면서 "다시 해 볼래요. 이번에는 조각을 잘 나눌 거예요"라고 말하며 새로운 그림을 꺼내 다시 도전하는 모습을 보였습니다.

패턴을 찾아라!

계절과 요일이 반복되고, 옷에 있는 줄무늬가 반복되며, 길에 있는 화단의 꽃이 반복되어 심겨 있는 것을 보면서 유아는 자연스럽게 패턴을 알게 됩니다. 주변에 있는 블록, 모양 종이 등 정형화된 모양이 있는 사물을 이용하는 것뿐만 아니라 점토를 활용하여 자신이 만들고 싶은 모양을 정한 다음 자유롭게 패턴 모양을 구성해 놀이할 수 있습니다. 이러한 패턴 놀이는 반복되는 과정을 통해 규칙성을 이해하게 되고, 다음을 예측할 수 있습니다.

준비물 3가지 색깔의 점토, 종이

어떻게 놀이할까?

- 점토를 굴려 작은 동그라미 모양을 만들어본다.
- 몇 가지 규칙의 패턴을 만들지 정한다.

  (규칙 예시: 2가지 규칙 – 빨강→파랑→빨강→파랑

  　　　　　3가지 규칙 – 빨강→파랑→초록→빨강→파랑→초록)

- 동그라미 모양 점토를 사용하여 패턴을 완성한다.
- 또 어떤 모양을 만들고 싶은지 정한 다음, 점토로 모양을 만든다.
- 새로운 모양을 이용해 이전과 다른 규칙의 패턴을 완성해본다.

※ 패턴놀이는 한 번에 끝나는 것이 아니라 일상에서 블록, 그림 카드 등으로 반복하여 놀이할 수 있도록 도와주면 유아 스스로 패턴 놀이를 하는 데 도움이 됩니다.

점토를 동그랗게 만들어요

동그라미 모양으로 패턴을 완성해요

점토로 내가 원하는 모양을 만들어요

나만의 패턴을 완성해요

거리두며 함께 놀기

- 점토로 모양을 만든 다음, 친구가 제시한 규칙대로 패턴을 만든다.
- 이번에는 자신이 만들고 싶은 패턴을 만든다.
- 서로의 패턴을 살펴본 후, 다음에 무엇이 올지 알아맞힌다.

친구야! 두 가지 규칙의 패턴을 만들어봐!　　　　파랑→초록→파랑→초록 패턴 완성!

놀이 기록 예시

점토라는 소재 자체가 유아들에겐 큰 흥미가 있습니다. 주무르고 굴리면서 동그라미를 만들고, 패턴을 구성하다 부족하면 금방 더 동그라미를 만들어 패턴을 완성했습니다. 또 세모, 하트, 물고기 등 자신이 만들고 싶은 모양을 만들 때는 다소 시간이 소요되기는 했지만, 유아들의 흥미와 패턴 이해도는 더 높아 오랜 시간 동안 놀이가 지속되었습니다.

끈의 변신

일상에서 볼 수 있는 다양한 끈이 유아들과 만나면 놀잇감으로 변신합니다. 끈 하나로도 자동차, 인형, 동물 등 여러 가지를 만들 수 있으며, 끈 위로 걷기, 끈 줄넘기 등 다양한 놀이를 할 수 있습니다. 유아들은 끈으로 놀이하면서 끈에 걸려 넘어지지 않기, 끈을 사람 몸에 감지 않기 등 더 안전하게 놀이하려고 노력합니다. 또 자유롭게 구부리고, 꼬아보고, 쭉 펴 보면서 여러 가지 놀이를 해봅니다.

색깔과 길이가 다른 리본 끈, 종이, 바구니

어떻게 놀이할까?

- 눈을 감고 바구니에서 리본 끈을 하나 꺼낸 다음, 끈의 색깔과 길이를 살펴본다.
- 종이 위에 끈을 놓아 만들고 싶은 것을 구성한다.(얼굴 만들기, 꼬아서 놓기, 가로 · 세로 · 대각선으로 놓기 등)
- 완성된 작품을 보고 이야기를 꾸며 말한다.
- 다른 놀이로 확장해 놀이한다.(끈 길이 순서대로 놓아보기, 색깔별로 분류해보기 등)

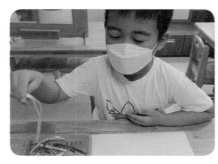

눈 감고 바구니에서 끈을 하나 꺼내요

종이 위에 끈으로 구성해요

내 얼굴 완성!

이번에는 끈을 길이 순서대로 놓아요

- 끈으로 놀이할 때 어떤 약속이 필요한지 알아본다.
- 긴 끈을 하나씩 갖는다.
- 음악에 맞춰 긴 끈으로 내가 하고 싶은 동작을 표현해본다.
- 친구와 마주 보고 앉아 친구가 끈으로 표현하는 동작을 똑같이 표현해본다.
- 끈으로 또 어떤 놀이를 할 수 있는지 알아본 다음, 다양한 방법으로 놀이해 본다.

긴 끈으로 동작을 표현해요!

친구의 동작을 따라 해요!

놀이 기록 예시

유아들은 눈을 감고 리본 끈을 뽑을 때 자신이 원하는 길이의 리본 끈을 뽑기 위해 손끝으로 계속 만져보는 모습을 보였습니다. 또 미리 계획한 리본 끈이 아닌 눈을 감고 뽑은 리본 끈으로 구성하다 보니, 어떻게 구성해야 할지 고민하는 모습을 보였습니다.

눈을 감고 리본 끈을 뽑다 보니 자신이 원하는 모양으로 완성되지 못할 때가 많았으나, 속상해하기보다는 "정답은 없죠? 내가 하고 싶은 대로 하면 되는 거죠?"라고 물어보며 끈으로 즐겁게 놀이했습니다.

유아가 제안한 놀이

'유아가 제안한 놀이'는 교사가 임의로 정한 것이 아니라, 자유놀이 시간에 유아들의 놀이 흐름을 그대로 따라가면서 관찰한 후 놀이 방법과 과정을 기록한 것입니다. 유아들의 놀이를 통해 하나의 놀잇감이 다양하게 변형될 수 있음을 알수 있었으며, 유아들의 생각은 우리들이 생각하는 그 이상으로 무궁무진함을 느낄 수 있었습니다.

젠가 놀이

유아들이 처음에는 젠가의 원래 놀이 방법대로 놀이를 했습니다. 그러다가 유아들이 기존의 놀이에 흥미가 떨어질 때쯤 어떤 유아가 젠가로 탑을 쌓자, 그것을 본 유아들이 자신이 생각해낸 방법으로 젠가로 구성하기, 도미노 만들기 등다양한 개별놀이를 했습니다.

젠가 도미노

무엇을 가지고 놀았을까?   젠가, 숫자 칩

어떻게 놀이할까?

- 젠가로 도미노를 만든다.
    - 1단계: 책상 테두리를 따라 세운 젠가 도미노
    - 2단계: 하트가 숨어 있는 젠가 도미노
    - 3단계: 꼬불꼬불 길이 많은 젠가 도미노
- 완성한 후 도미노를 쓰러트린다.
- 또 자신이 하고 싶은 방법으로 젠가를 세워 도미노 놀이를 한다.(젠가를 미로처럼 만들기, 계단 형식으로 만들기, 가로로 세워서 만들기 등)

| 1단계 도미노 | 2단계 도미노 | 3단계 도미노 |

거리두며 함께 놀기

- 친구와 함께 젠가로 어떤 도미노를 만들지 이야기 나눈다.

- 다른 놀잇감으로 도미노 주변을 꾸민다.

- 같이 도미노를 쓰러트려 본다.(양쪽 끝에서 동시에 쓰러트리기, 순서를 정해서 쓰러트리기 등)

놀이 기록 예시

유아가 젠가 바구니에서 젠가를 꺼내 책상에 도미노를 완성한 다음, "선생님, 제가 도미노 만들었어요"라고 말하며 소개합니다. 교사와 함께 "하나, 둘, 셋!"을 센 후, 도미노를 쓰러트렸습니다. 5분 후 다시 교사를 부릅니다. "선생님, 도미노 또 만들었어요", "그런데 숫자 2는 뭐니?"라고 물어보니 "이건 2단계 도미노예요"라고 말하며, 하트 모양으로 만든 도미노를 쓰러트렸습니다. 7분 후에는 꼬불꼬불 길이 많은 3단계 도미노를 만들었습니다. 교사의 제안이 없어도 유아 스스로 단계별 도미노를 만든 다음 그 단계를 표시하기 위해 숫자 칩을 사용하는 모습에 놀랐으며, 유아의 생각은 교사가 생각하는 그 이상으로 다양함을 느낄 수 있었습니다.

젠가로 구성하기

무엇을 가지고 놀았을까? 젠가

어떻게 놀이할까?

• 젠가를 세로로 세워 탑을 쌓아본다.

• 탑을 다 쌓은 후, 몇 개의 젠가를 사용했는지 개수를 세어본다.

• 젠가 탑에 사용했던 젠가를 이용해 인형 집을 만들어본다.

젠가 끝으로 탑 쌓기

인형 집 만들기

거리두며 함께 놀기

• 젠가를 나누어 갖는다.

• 주사위를 굴려 나온 숫자만큼 탑을 쌓는다.

• 먼저 탑을 완성한 유아가 승리한다.

놀이 기록 예시

처음에는 젠가 두 개를 바닥에 놓고 그 위에 두 개를 올려 탑을 만들고 있습니다. 하지만 간격이 안 맞자 바닥에 있는 젠가를 안쪽으로 더 모은 다음, 균형을 잡아 그 위에 젠가를 올렸습니다. 다 완성한 후, "선생님, 이건 가운데가 뻥 뚫린 탑이에요. 그래서 안에 들어가면 밖이 다 보이는 힘이 있어요"라고 말합니다. 그 후 숫자를 세면서 젠가를 하나씩 바구니에 담습니다. 바구니에 담은 젠가와 인형을 다른 책상에 갖고 간 다음, 인형을 눕혀 인형 주변에 젠가를 하나씩 세웁니다. 6분 후 교사를 불러 자신의 작품을 소개합니다. "선생님, 이건 하늘이 다 보이는 인형 집이에요. 이것도 위가 뻥 뚫려 있어요. 또 인형 머리 위에는 창문도 있어요"라고 말하며, 즐거운 표정을 짓습니다. 바닥에서 책상 위로 장소를 이동했지만 하나의 놀잇감으로 뚫려 있는 다른 구성물을 완성해가는 과정을 통해 공간 구성, 문제해결 등 놀이 속 배움이 다양함을 다시 한번 느낄 수 있었습니다.

종이컵은 내 친구

종이컵은 매일 갖고 놀아도 다시 찾게 되고, 다양하게 변신할 수 있으며, 쓰러져도 다시 쌓을 수 있어서 신나는 놀잇감입니다. 종이컵은 유아들에게 최고의 놀잇감이자 친구입니다.

무엇을 가지고 놀았을까? 종이컵

어떻게 놀이할까?
- 종이컵으로 놀이하고 싶은 장소를 정한다.
- 다양한 방법으로 종이컵 구성물을 만든다.

  (유아가 제시한 놀이 방법: 개별 집 만들기, 도로 만들기, 폭우로 망가진 도로 만들기)

산에 간 곤충

나의 집

도로 만들기

폭우로 망가진 도로

거리두며 함께 놀기

- 징검다리 놀이: 종이컵으로 징검다리를 만든 다음, 순서를 정해 점프를 한다. 이때 종이컵 징검다리를 건드리면 안 된다.
- 집 만들기 놀이: 종이컵으로 집을 만들어 방을 나눈 다음, 친구와 방에 한 칸씩 들어가 극놀이를 해본다.

놀이 기록 예시

교실에서 가장 인기가 있는 놀잇감인 종이컵! 오늘은 하루 종일 종이컵으로 놀이하기를 원하는 유아가 많았습니다. 교실 가운데 큰 공간에서 놀이하기를 원하는 유아가 많아 서로 이야기를 나눈 다음 가위바위보로 순서를 정했습니다. 종이컵으로 산을 만든 다음, 자신이 그린 곤충 그림을 맨 위에 올려놓고 "곤충이 산꼭대기까지 올라갔어요"라며 교사에게 이야기를 들려주었습니다. 또 다른 두 유아는 공간을 나누어 각자의 집을 지었습니다. 그다음 순서인 유아는 큰 도로를 만든 다음, 자동차를 움직이며 놀이했습니다. 마지막 순서인 유아는 "큰 도로를 만들었는데, 비가 많이 와서 도로가 끊어졌어요"라고 말하며, 폭우로 피해가 많은 상황을 표현했습니다. 개별놀이를 해야 하는 현 상황이 매우 안타깝지만 서로 얘기를 나누어 순서를 정하고, 다양한 형태의 구성물을 만드는 유아들의 모습이 인상 깊었습니다.

캐러멜로 놀아요!

여러 색깔로 포장된 캐러멜을 보여주자 유아들의 관심이 집중되며, 단순히 먹는 캐러멜이 놀잇감이 될 수 있다는 사실에 더 흥미를 보입니다. 캐러멜로 어떤 놀이를 할 수 있을지 처음에는 고민하는 모습을 보였지만, 정답이 없는 놀이이기에 이내 자신이 발견한 방법으로 즐겁게 놀이합니다.

무엇이 필요할까?   캐러멜

어떻게 놀이할까?

• 캐러멜 여러 개를 나누어 갖는다.
• 캐러멜로 할 수 있는 놀이를 생각해본다.

계단 만들어 남은 캐러멜로 극놀이하기

글자 만들어 퀴즈 내기

나비 만들기

피아노 만들어 노래 부르며 연주하기

- 캐러멜로 다양한 놀이를 해본다.(유아가 제시한 놀이 방법: 계단 만들어 극놀이 하기, 글자 만들어 퀴즈 내기, 나비 만들기, 피아노 건반 만들어 노래 부르며 연주하기)

거리두며 함께 놀기

- 캐러멜로 홀짝 놀이하기: 순서를 정한 다음, 친구 손에 있는 캐러멜이 홀수인지 짝수인지 맞혀본다.
- 캐러멜 탑 쌓기: 가위바위보를 해서 이긴 사람이 캐러멜을 하나씩 쌓는다. 먼저 탑을 완성하면 놀이가 끝난다.
- 패턴 놀이: 캐러멜로 패턴을 만든 다음, 친구에게 그다음에 올 것이 무엇인지 퀴즈를 낸다.

놀이 기록 예시

캐러멜 통을 발견한 한 유아가 "선생님, 저걸로도 놀이하려고 가져왔어요?"라고 물어봅니다. "캐러멜로 어떤 놀이를 하고 싶은데?"라고 교사가 말하자 "음… 글자 만들어볼래요"라고 대답합니다. 한 유아의 제안으로 여러 유아의 캐러멜 개별놀이가 시작되었습니다. 각자 5개씩 캐러멜을 갖고 자리에 앉아 내가 하고 싶은 놀이를 시작했습니다. "선생님, 저는 피아노 연주 놀이를 하고 싶어요. 캐러멜 더 주세요"라고 요청한 유아에게 캐러멜을 더 주었더니, 더 받은 캐러멜을 옆으로 놓은 다음 노래를 부르면서 피아노 연주하듯 손가락을 움직였습니다. 캐러멜 놀이가 끝난 후 놀이를 소개하는 시간에 유아들은 계단/글자/나비 만들기, 패턴 놀이, 수 놀이 등 다양한 놀이를 소개했습니다.

충분한 시간 동안 자신이 찾은 놀이 방법을 소개하는 기회를 주었더니 많은 유아가 더욱 적극적인 모습으로 참여하였습니다. 또한, 교사가 유아들이 소개한 놀이 방법에 대해 구체적으로 격려하자, 유아들은 자신감을 갖고 "내일은 캐러멜 궁전을 만들고 싶어요!", "놀이터를 만들고 싶어요!"라고 말하며 다른 놀이를 구상하는 모습에서 유아들의 유능함을 느낄 수 있었습니다.

머리끈으로 신나게 놀자!

고무로 만들어진 머리끈은 늘려도 다시 원래의 모습으로 돌아오는 성질이 있습니다. 머리끈으로 이리저리 늘려보거나 꼬아보고, 뭉쳐보면서 다양한 놀이를 해볼 수 있습니다.

머리끈

어떻게 놀이할까?

- 머리끈을 원하는 수만큼 갖는다.

- 머리끈으로 할 수 있는 놀이를 생각해보고 소개한다.

- 머리끈으로 놀이할 때 필요한 약속을 스스로 정해본다.(머리끈을 입에 물거나 넣지 않기, 친구 몸에 머리끈을 튕기지 않기, 머리 끈을 끊어질 정도로 늘리지 않기 등)

※ 유아가 제시한 놀이 방법

    – 머리끈 패턴 놀이: 패턴 규칙을 정한 다음, 규칙대로 머리끈을 놓는다.

    – 손끝으로 머리끈 균형 잡기: 머리끈을 다섯 손가락 끝에 올려놓는다.

    – 머리끈으로 로봇 다리 만들기: 왼손 검지, 중지, 약지 세 손가락에 머리끈을 건 다음, 오른손 검지와 중지를 왼손에 걸쳐진 고무줄 가운데로 손가락을 넣는다. 머리끈이 걸쳐진 양손 손가락을 바깥에서 안쪽으로 구부려 왼손은 위로, 오른손은 아래로 향하게 벌린다.

    – 머리끈 반지 개수: 손가락에 반지처럼 낀 후, 머리끈이 몇 개인지 세본다.

머리끈 패턴

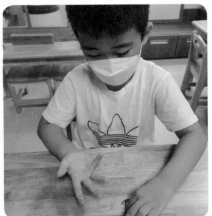
머리끈 균형 잡기

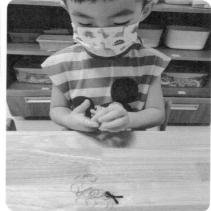

머리끈 로봇 다리 　　　　　　　　머리끈 반지 개수

놀이 기록 예시

교사가 한 여자아이의 머리를 묶어주는데 유아가 "고무줄이다!"라고 외치며 머리끈에 관심을 보였습니다. 놀이 뷔페 교구장에 여러 색깔의 머리끈을 제공해주었더니, 유아들은 머리끈을 이리저리 만지고 탐색하면서 다양한 놀이를 발견하였습니다. 손끝에 고무줄을 올려놓고 균형 잡기, 세모/네모/모래시계/다리 등 모양 만들어보기, 고무줄총 놀이, 고무줄 세우기, 고무줄 굴리기 등 다양한 놀이 방법이 나왔습니다. 친구가 찾은 방법을 보고 "와~ 어떻게 한 거야?"라고 물어보는 유아도 있었고, "선생님! 나는 더 어려운 것도 만들 수 있어요!"라고 말하며 자랑하기도 했습니다. 놀이 중 고무줄이 끊어지자 당황하는 모습을 보이는 유아가 있었으나, "괜찮아"라고 교사가 말하자 유아는 편안한 표정으로 자유롭게 놀이했습니다.

대부분의 사람은 빨래집게는 빨래를 말릴 때 사용하는 도구라고 생각하지만, 유아들은 빨래집게를 재미있는 놀이 도구라고 생각합니다. 빨래집게를 손가락으로 벌리며 악어 입이라고 하고, 빨래집게끼리 연결하면서 물고기 떼라고 말합니다. 빨래집게로 이리저리 놀이하며 몰입하는 유아들을 보며, 같이 빨래집게 세상으로 빠지게 됩니다.

무엇을 가지고 놀았을까? 빨래집게

어떻게 놀이할까?
- 빨래집게를 눌러서 벌렸다 좁혔다를 반복해본다.
- 빨래집게를 여러 개 사용해서 내가 만들고 싶은 것을 구성해본다.
- 빨래집게로 구성한 작품으로 공룡 놀이나 물고기 놀이 등 다양한 놀이를 해 본다.
  - 빨래집게를 안전하게 사용할 수 있도록 약속을 정해본다.(빨래집게로 신체를 잡지 않기, 빨래집게를 벌릴 때 튕겨 나가지 않도록 손에 힘 주기 등)

구성작품 - 이상한 꽃

구성작품 - 로케트

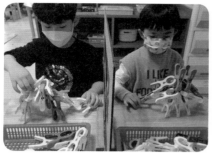
너와 내가 만드는 공룡

강강술래와 줄다리기를 하고 있는 사람

놀이 기록 예시

"어? 이거 엄마가 빨래 말릴 때 쓰는 건데…" 교실에 놓여져 있는 빨래집게를 보며 호기심을 보입니다. "이걸로 어떤 놀이를 할 수 있을까?"라는 교사의 질문에 잠시 생각하더니 "○○야! 여기 빨래집게 있어"라고 외치며 친구를 부릅니다. "우리 이걸로 만들기 하자"라고 말하며 두 유아는 구성놀이를 시작합니다. "힘줘봐. 더 넓게 벌려져", "빨래집게를 계속 연결하고 싶은데 어떻게 하지?", "한 손으로 아래를 잡고 세워서 해봐" 등 작품을 구성하면서 발견한 문제점을 서로의 생각을 나누며 해결합니다. 또 "우리 이번에는 공룡 만들자"라고 말한 다음 각자의 공룡을 만들어 소개합니다. 또한 바닥에 앉아 빨래집게를 동그랗게, 길게 놓으며 스토리를 만드는 유아의 놀이를 보며, 빨래를 말릴 때만 사용하는 도구인줄 알았던 빨래집게가 재미있는 놀이도구로 변할 수 있음을 다시 한번 느끼게 됩니다.

　유아들은 동글동글 너트에 호기심을 보입니다. 반지처럼 껴보거나, 바닥에 굴리면서 탐색을 합니다. 너트는 유아들의 상상력을 자극하는 좋은 놀잇감이 됩니다.

무엇을 가지고 놀았을까?　너트

어떻게 놀이할까?

- 너트를 탐색해본다.
- 너트로 쌓아보기, 분류하기, 구성하기 등 다양하게 놀이해본다.
  - 너트로 놀이할 때 필요한 약속을 스스로 정해본다.(입으로 물지 않기, 콧구멍에 넣지 않기, 친구에게 던지지 않기 등)

프랑스 에펠탑

연결된 산

에어컨 바람

손가락으로 걸어서 내 손가락 반지 찾기

놀이 기록 예시

교실에 있는 너트를 탐색하며 "도넛 같아요", "이렇게 하니까 반지가 됐어요", "우리 굴리기 놀이하자" 등 다양한 이야기가 쏟아집니다. 탐색 후, 여러 개의 너트를 이용해 구성놀이를 하는 유아들…. 평면적으로 늘어트리는 유아, 위로 높게 쌓는 유아 등 각자의 생각을 자유롭게 표현합니다. 너트로 구성하다 구성물이 쓰러지자 까르르 웃으며 "다시 쌓으면 돼"라고 말하는 유아를 보며 비구조화된 놀잇감의 장점을 다시 한 번 느끼게 됩니다. 나사와 만나는 너트가 너트의 기능만 하는 것이 아니라 유아의 손길에서 구성놀잇감으로 변하는 순간입니다. 하나의 놀잇감을 다양한 방법의 놀잇감으로 변형하는 유아의 생각은 열려 있는 보물 상자 같습니다.

놀이 속 숨은 의미를 찾아라! (놀이 기록)

아이가 태어나서 엄마와 함께하는 '까꿍 놀이'부터 친구와 함께하는 '협동놀이'까지 시간에 따라 아이의 놀이 형태는 다양하게 변합니다. 이처럼 놀이는 아이들의 아름다운 본능이며, 친근한 친구이자 하나의 삶입니다.

2019 개정 누리과정은 유아중심 · 놀이중심 교육과정이므로 아이가 중심이 되는 놀이를 강조합니다. 아이가 놀이를 잘 이끌어갈 수 있도록 교사는 놀이 지원을 할 뿐만 아니라, 아이들의 놀이를 들여다보면서 그 속에 숨은 의미를 발견하고 이해하고자 노력합니다. 또한 아이들의 놀이를 기록으로 남겨 아이의 마음과 관심사를 더 자세히 들여다보고, 도움이 필요한 부분을 파악합니다.

코로나19와 같은 감염병 예방을 위해 온라인 및 오프라인으로 수업이 이루어지고 있습니다. 유아교육 기관뿐만 아니라 가정에서도 아이의 놀이 관찰 및 기록이 필요합니다. 또한, 예전과 다르게 대면 상담이 어렵기 때문에 아이에 대한 이야기를 온라인상에서 놀이 기록으로 안내하거나, 전화로 교류하는 빈도가 늘어났습니다. 이러한 교류는 대면으로 이루어지는 것이 아니므로, 시행착오와 오해가 생기기도 합니다. 비대면 상담이나 일상에서 소통 시 아이들의 놀이 사진 및 영상, 인터뷰 자료 등 구체적인 자료를 함께 제시하여, 학부모와의 소통이 원활하게 이루어질 수 있도록 합니다.

유아교육 기관과 가정에서 아이들의 놀이를 관찰하며 그 속에 숨은 의미를 남기는 놀이 기록! 좀 더 의미 있는 놀이 기록을 위해 놀이 기록 방법을 안내합니다.

유치원에서의 놀이 기록

아이의 놀이는 시시각각 변하고 예측할 수 없습니다. 또 놀이의 시작과 끝의 주제가 달라지기도 합니다. 교사는 아이의 놀이를 관찰하면서 놀이 중간에 '언제 개입해야 하지? 개입해도 되는 걸까? 그냥 관찰만 해야 하나?' 등 고민이 많습니다. 교사는 당장 개입하고 싶더라도 잠시 멈춰서 아이의 놀이를 들여다본 다음 개입 여부를 결정한다면, 좀 더 아이의 눈높이에서 바라보게 되며 아이와 함께 놀이 속 배움을 발견하게 될 것입니다.

순간 포착! 몸짓 언어 – 몸짓은 마음을 싣고

아이들은 말로 자신의 생각과 마음을 표현하기도 하지만 몸짓으로도 표현합니다. 가끔은 교사가 이해할 수 없는 몸짓을 하는 아이도 있습니다. 교사는 아이의 몸짓을 보고 '왜 저런 행동을 하지? 이상해!' 라고 부정적인 시각으로 받아들이기보다 몸짓 속에 숨어있는 의미를 발견한다면 아이의 생각과 마음에 공감하는 친구가 될 수 있습니다.

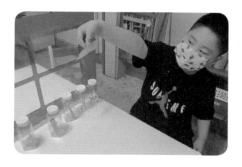

"위~잉" 소리를 내며 종이를 움직입니다. 친구가 "무슨 소리야? 시끄러워!"라고 말해도 아이는 소리를 냅니다. 다양한 곤충의 종류를 색종이로 만들어 각 통에 담아 곤충 관찰통을 완성하고, 곤충 한 마리는 손에 잡아 그 위를 날아다니고 있습니다. 요즘 최고의 관심사인 곤충을 만들어 상황극 놀이를 하는 중입니다.

'이 아이는 뭘 하고 있지?' 아이의 뒷모습에서 의문이 생깁니다. 무엇을 하고 있는지 물어보고 싶은 마음이 있었으나, 참고 잠시 살펴보았습니다. 자세히 들여다보았더니 이 아이는 종이컵에 관심이 많아져 종이컵을 차곡차곡 하나씩 쌓아 나만의 집을 만들고 있었습니다. 집이 크진 않지만, 집중하여 하나씩 쌓는 모습에서 놀이에 몰입한다는 것을 느낄 수 있습니다.

그림 세상 - 그림에서 아이를 만나다!

아이들이 자신의 생각과 감정을 가장 많이 표현하는 방법은 바로 그림입니다. 그림의 소재가 단순하고 그림이 정교하지 않아도 괜찮습니다. 아이의 그림을 자세히 살펴보면 말로 다 표현할 수 없는 아이의 마음이 숨어있으며, 상상의 세계가 자유롭게 펼쳐져 있습니다.

이 그림은 세 공간으로 나누어져 있습니다. 맨 아래에는 컴퓨터를 하는 아이, 가운데는 연못에 있는 사람, 위에는 하늘을 나는 새가 있습니다. 아이는 이 그림을 선생님께 소개하면서 "집에서 공부를 하는 형, 물가에서 낚시를 하는 아빠, 하늘을 날고 싶은 나"라고 말했습니다. 그리고 작은 목소리로 "주말에 가족과 함께 놀고 싶어요"라며 자신의 바람을 이야기했습니다. 아이의 마음이 그대로 표현된 그림 하나만으로도 아이의 생각과 감정을 느낄 수 있습니다.

얼핏 보면 형태가 없는 색칠 같습니다. 사실 요즘 한창 무지개에 빠져 있는 아이는 최선을 다해서 무지개를 그리고 있습니다. 주제가 있는 다른 그림을 그릴 때도 무지개를 빠지지 않고 그립니다. 평소 그림 그리기를 싫어하던 아이는 무지개를 계기로 그림에 흥미를 보이기 시작합니다.

찰칵! 우리의 기록 – 사진 속의 비밀을 찾아라!

　놀이를 기록하는 방법에는 글로 쓰기, 영상 촬영, 녹음 등 여러 가지 방법이 있습니다. 많은 교사가 그중에서 사진으로 아이의 놀이 장면을 주로 남깁니다. 글로 쓰는 것만큼 자세하지 않지만 순간 놓칠 수 있는 아이의 표정, 몸짓, 상황 등을 시각적으로 남길 수 있고, 오래 간직할 수 있습니다.

두 아이가 종이컵을 정리하다 우연히 동그라미를 만들었습니다. "와~ 동그라미가 됐어!"라고 말하며 신나 합니다. 평소 종이컵을 한 줄로만 정리하던 아이들이 친구가 새로운 방법을 발견하자 관심을 보입니다. "더 큰 동그라미를 만들자!"라는 친구의 말에 종이컵을 더 가져와 바닥에 큰 동그라미를 만듭니다. 완성된 큰 동그라미를 한 번에 옮기려고 들었으나 이내 쓰러졌습니다. 하지만 "괜찮아! 다시 하면 돼"라고 말하며, 다시 동그라미를 만듭니다. 과연 이 아이들은 큰 동그라미를 옮길 수 있었을까요?

그동안 네모 상자 4개를 연결해 하나의 큰 네모 모양 방을 만들었는데, 오늘은 상자의 방향을 바꿔보더니 "방이 여러 개 됐어!"라고 말합니다. 또 우리 반 아이들이 공동작품으로 만든 '무지개 친구'를 초대해 방 한 칸을 내주고, 함께 여행을 떠나는 놀이를 합니다. 같은 네모 상자지만 방 모양이 바뀌고, '우리 집' 놀이에서 '여행' 놀이로 바뀌었습니다. 또 어떤 놀이가 나올까요?

오늘의 우리반 이야기

6월 23일 화요일

" 노는 방법을 아는 것은 행복한 재능이다 "
- Ralph Waldo Emerson

메모

오늘의 놀이

[자유놀이] '수수깡의 변신'

어김없이 수수깡을 이어붙이고 있는 남자아이들. 그 모습을 본 여자아이들이 지나가며 "혹시… 그거 칼은 아니겠지?" 하니. @@이가 재빠르게 나에게 다가와 "선생님. 이거는 칼이 아니구요. 사실은 키 재는 거에요."한다. "정말? 지금은 @@이 배꼽까지 오네." "ㅁㅁ이는 여기까지 와요." "조금 더 이어보면 어디까지 올까?" "선생님! 이제 턱까지 와요!" 복도에 작품을 걸기 위해 걸어둔 나무집게를 남자아이들이 하나씩 챙겨 수수깡 위를 집었다. ㅇㅇ는 어제부터 이 수수깡을 들고 다니며, 여기저기를 두드리고 있다. ㅇㅇ이는 복도에서 '피슝~' 하며 화살 던지듯 던진다. 또 위험 감지센서가 발동되었다. 주섬주섬 벽돌블럭을 챙겨서 복도로 나갔다. 말없이 쌓고 있으니. ㅇㅇ이가 "이거 던져서 골인하는 거 해요?" 하니, 다른 친구들이 "오! 그거 해봤어." 했다. ㅇㅇ이가 "그거 투호 놀인데!" 하자, 다른 아이들이 "맞아맞아" 하며, 복도에 있는 선에 가서 줄을 섰다. 처음에는 넓은 모양이었지만, 아이들이 "선생님. 저 계속 골인해요!" 하여 팔각형 → 육각형 → 사각형 → 삼각형으로 블럭을 재구성했다.

"키재는거에요"

물붓펜으로 그림 그리기 :-)

돌아보기

금요일에 위험한 놀이에 대해 다같이 이야기 나눈 후. 친구가 위험한 놀이를 하려 하면 이전에는 나에게 이르기(?) 바빴는데. 오늘은 직접 친절하게 다정하게 이야기해주는 모습을 보였다. ㅠㅠ (감격) 그리고 그림책테마를 환경교육으로 이어가야 할지. 규칙으로 이어가야 할지 고민이 많이 되었는데. '이파라파 냐무냐무' Q&A를 위해 다시 책을 살펴보다가 '쿵이 이야기'를 발견하여, 동물보호로 자연스럽게 넘어갔다.

〈 오늘의 그림책 〉

맑은샘반의 하루 이야기

날 짜	2020년 7월 9일 목요일

우리 반 놀이 이야기	교사 이야기 (교사의 놀이 지원)

무지개 세상!

어제 유아들이 제시한 의견대로 무지개 세상 만들기를 했다. 벽에 어떻게 꾸밀지 생각을 나누던 중 어제 색종이로 만든 모자이크 무지개를 "다리 모양으로 붙이는 대신 커다란 무지개 모양(곡선)으로 붙여요"라고 한 유아가 의견을 냈다. 대부분의 유아가 동의해서 다리 모양 대신 무지개 모양으로 붙이기로 결정했다. "그럼 벽 나머지 부분은 어떻게 하면 좋을까?"라고 교사가 물어보자 "난 꽃 만들 거야", "난 메뚜기 접을 거야", "나랑 구름 만들자" 등 각자 꾸미고 싶은 자연풍경을 말했다. 각자 원하는 재료를 갖고 앉아 종이로 접거나 그림으로 그리면서 작품을 완성했다. 완성된 작품은 테이프를 이용해 교사가 붙여주는 대신 유아들이 스스로 각자 원하는 장소에 붙였다. "이건 도마뱀이야, 멋지지?", "이건 바다, 땅, 산이야. 내가 그리고 색칠한 거야"라고 말하며 친구에게 소개한다. 가위질이 서툰 유아는 "잘 못해요"라고 말하며 속상해했지만, 교사가 가위질하는 방법을 하나씩 알려주자 천천히 도전해보았다. 드디어 완성된 무지개 세상! "여기서 생물을 키워보고 싶어요", "다른 동물들과 시합 하고 싶어요" 등 하고 싶은 것들을 말하면서 무지개 세상에서 지내는 모습을 상상해보았다.

전날 아이들이 개별적으로 만든 '무지개 모자이크' 작품을 이용해 '무지개 세상' 만들기를 했다. 아이들과 의논하여 작품을 붙이는 장소와 게시하는 방법을 결정한 다음, 스스로 작품을 벽에 붙여서 그런지 더 흥미를 갖고 참여했다. 또 작품을 붙일 때는 친구의 작품과 어울리는지 생각해보고 붙이는 아이도 있었다.

자연 풍경 작품을 만들 때 작품의 완성도보다는 아이들이 자신의 생각을 마음껏 표현할 수 있도록 기회를 제공했더니 작품 속에 숨어있는 수많은 의미를 발견할 수 있었다.

교사가 완성한 환경판이 아닌 유아의 생각과 작품으로 완성된 환경판이라 집에 가기 전까지 끼리끼리 모여 작품을 감상하고 소개하는 모습을 볼 수 있었다.

<교사 지원 : 아이 주도의 활동이 될 수 있도록 교사 개입을 최소화하고 아이들의 의견을 반영함. 재료가 부족하거나 원하는 재료가 있을 때 적절하게 제공함>

유치원에서 온라인으로 가정에 안내한 놀이 기록

학부모는 매일 우리 아이가 유아교육 기관에서 친구들과 싸우지 않고 잘 지내는지, 식사 시간에 밥은 잘 먹는지, 어떤 놀이를 하고 무엇을 배우는지 등 아이의 전반적인 생활에 대해 궁금해합니다. 교사들은 클래스팅이나 학교종이, 키즈노트 등과 같은 다양한 앱을 이용해 아이들의 놀이 기록을 학부모에게 안내하고 있습니다.

온라인으로 안내했을 때 아이들이 오늘 기관에서 무엇을 했는지 알 수 있어서 좋았다고 말하는 부모도 있지만, 우리 아이가 이 놀이를 함께 하지 못했을까 봐 걱정하는 부모도 있습니다. 온라인으로 탑재하는 놀이 기록에 대한 학부모들의 이야기를 PMI 기법을 통해 알아보면서 해결 방법을 찾아보고자 합니다.

온라인으로 안내한 반별 놀이 기록 예시

2020년 ○월 ○○일 놀이 이야기
재미있는 수놀이

한줌퀴즈를 하면서 제시되었던 캐러멜을 먹고 싶어 하는 아이들…. 오늘은 캐러멜 5개로 할 수 있는 다양한 수놀이 찾기를 했습니다. 처음에는 5개를 5개와 0개, 4개와 1개 등 두개로 가르기를 하다가 점차 홀짝 맞추기 놀이, 모양 구성하기 놀이 등 다른 수놀이 방법으로 확장되었습니다. 또한 "선생님, 글자도 만들 수 있어요", "알까기도 할 수 있어요", "이렇게 공기놀이해요" 등 유아들은 어른이 생각하지 못하는 수많은 놀이 방법을 발견하고 즐겁게 했습니다. 친구와 함께 자신이 찾은 방법대로 같이 놀이하는 유아들의 표정은 무척 밝았습니다. 단순히 학습하는 것이 아니라 놀이 속에서 충분히 탐색하고 발견한 수놀이는 유아에게 더 큰 학습효과를 준다는 것을 다시 한번 느꼈습니다.

☆ 캐러멜 5개로 하는 유아들이 발견한 놀이 방법
    – 두 명에게 5개 나눠주는 방법 찾기 놀이
    – 공기놀이
    – 글자, 숫자 만들기
    – 모양 만들기
    – 홀짝 놀이
    – 어느 손에 있는지 맞히기 놀이
    – 징검다리 손가락 멀리뛰기 놀이
    – 튕기기 놀이
    – 던지고 잡기 놀이
    – 알까기 놀이

* 놀이 속 배움
    – 5개로 할 수 있는 다양한 수놀이를 경험합니다.
    – 놀이 방법을 발견하여 친구에게 소개할 수 있습니다.

PMI 기법으로 본 온라인 반별 놀이 기록 평가

(P, M : 학부모들의 반응, I : 학부모들의 반응을 반영한 개선사항)

- P(Plus) : 좋은 점
  - 아이가 기관에서 어떻게 지내는지 그 흐름을 알 수 있어 좋았습니다.
  - 평소 아이가 집에 오면 유치원에서 있었던 일을 잘 이야기하지 않아서 답답했는데, 선생님의 놀이 기록을 보면서 우리 아이가 무엇을 했는지 알 수 있어서 참 좋습니다.
  - 기록을 보면서 유아교육 기관에 대한 믿음이 생기고, 마음이 놓입니다.

- M(Minus) : 아쉬웠던 점
  - 선생님께서 올린 놀이 기록을 보면 우리 아이가 참 좋아할 것 같긴 한데 학습은 안 하는지 걱정이 됩니다.
  - 우리 아이는 그 놀이를 안 했다고 말해서 아이가 매일 혼자 노는 건지 걱정이 됩니다.
  - 아이가 소심해서 놀이에 적극적으로 참여하지 않은 것 같아 걱정됩니다.

- I(Improvement) : 개선할 점
  - 부모들이 유아중심, 놀이중심 교육과정을 이해할 수 있도록 사전에 유아들의 특성, 놀이의 중요성, 놀이 흐름의 이해 등에 관한 안내문을 가정으로 보냅니다.
  - 매일 '놀이 회상하기' 시간에 아이들과 함께 오늘 어떤 놀이를 했는지 함께 이야기 나눠 봅니다.
  - 교사는 놀이 기록을 온라인에 올릴 때 일주일을 기준으로 아이들의 놀이가 고르게 들어갈 수 있도록 합니다.

전화를 통한 '좋! 아! 해!' 놀이 기록

코로나19로 인해 유아교육 기관에서는 대면수업과 원격수업을 병행하여 실시하고 있습니다. 교사는 원격수업 기간 동안 아이들이 가정에서 잘 지내고 있는지 주기적으로 음성 전화 및 영상 전화를 통해 건강 상태 및 심리상태를 확인합

<전화를 통한 '좋! 아! 해!' 놀이 기록 예시>

순	유아명	원격수업에 대한 유아의 생각		
		좋(좋았어요!)	아(아쉬웠어요!)	해(해보고 싶어요!)
1	○○○	선생님이 직접 나온 영상을 볼 수 있어서 좋았어요.	친구 없이 집에서 혼자 하니까 재미없었어요.	요리를 해보고 싶어요.
2	○○○	노래와 율동이 같이 나와서 신났어요.	바깥에 나가서 놀이하고 싶은데 다 집에서 하는 것이라 속상했어요.	그림을 많이 그려보는 놀이를 하고 싶어요.
3	○○○	선생님 목소리로 그림책을 들려주어서 하루에도 여러 번 봤어요.	화면만 보고 하니까 지루했어요.	빨대로 여러 가지 놀이를 해보고 싶어요.
4	○○○	블록으로 마음대로 만들 수 있어서 좋았어요.	엄마, 아빠가 회사 나가서 할머니와 함께해야 하는데 할머니가 잘 모른다고 하셔서 속상했어요.	간식을 먹으면서 놀고 싶어요.
5	○○○	휴지로 내 맘대로 밥을 만들어서 좋았어요.	엄마가 계획안 보고 순서대로 하라고 해서 속상했어요.	내 마음대로 놀고 싶어요.

유아의 의견 반영사항	1. 유아들이 자유롭게 놀이할 수 있도록 종이컵, 빨대, 색종이, 뿅뿅이 등 유치원에 있는 재료들을 꾸러미로 모아 가정으로 배부함 2. 색종이, 색 도화지, 검정도화지 등 다양한 종이를 준비하여 가정에서 자유롭게 표현해볼 수 있도록 계획함 3. 간단하게 요리하며 놀이할 수 있는 재료를 준비함

니다. 또한, 원격수업을 하면서 좋았던 점, 어려웠던 점 등에 대한 아이들의 생각을 기록한 후 다음 원격수업에 반영한다면, 아이가 주체가 되어 더 흥미를 갖고 적극적으로 참여할 수 있을 것입니다.

가정에서의 놀이 기록

코로나19로 인해 가정에서 원격수업이 이루어지면서 학부모도 아이의 놀이를 영상이나, 사진, 기록으로 남겨 유치원 홈페이지나 키즈노트, 클래스팅과 같은 다양한 앱에 탑재하거나, 기관에서 보낸 놀이 기록지를 사용하여 놀이 기록을 올립니다. 가정에서도 아이의 놀이를 통해 아이들이 어떤 마음으로 놀이하는지, 놀이 속에서 어떤 배움이 일어나는지 발견할 수 있습니다. 따라서 부모가 아이를 이해하고 다양한 놀이 지원을 할 수 있도록 아이의 놀이를 잘 관찰할 수 있는 방법을 안내합니다. 아이의 놀이를 좀 더 자세히 들여다보면 아이의 유능함과 놀이의 힘을 느낄 수 있을 것입니다.

사진으로 기록

영상으로 기록

<글로 기록>

무지개물고기 노래와 무지개물고기 그림책 감상
고래접기를 하였습니다.
이제는 종이접기를 혼자서도 잘해요.
무지개물고기 노래를 계속 흥얼거리네요.

휴지를 돌돌 말아서 밥을 만들었습니다.
처음에는 작게 만들어서 붙이다가 나중에는 힘들었는지
"밥 안하고 국수할거야!" 하면서 휴지를 쭉쭉 찢어
국수를 만들었습니다.
그래도 포기하지 않고 계속 만드는 모습이 기특하네요!

처음에는 비가 내린다고 산가지를 위에서 뿌리더니,
산가지로 만들기도 해보자고 말하자
나무, 집, 동네를 만들었습니다.
계속 웃으면서 산가지로 여러 가지를 만듭니다.

<유아교육 기관에서 보낸 놀이활동 기록지>

원격수업 시 가정 내 놀이활동기록지

원격수업 놀이활동 기록지에는 가정에서 놀이한 날짜와 놀이 내용 및 놀이 시 들었던 느낌 등을 기록하여
등원하는 날에 유치원으로 보내주시기 바랍니다.
놀이하는 즐거운 모습은 유치원 홈페이지 및 밴드에 공유해주셔도 됩니다.

반		이름	

날짜(요일)	놀이활동내용 (오늘의 놀이 제목과 놀이내용등을 자유롭게 적어보세요.)	놀이평가 (놀이할때의 느낌을 표정으로 나타내보세요)			부모님확인 (서명)
월 일 ( )		😀	😊	😟	
월 일 ( )		😀	😊	😟	
월 일 ( )		😀	😊	😟	
월 일 ( )		😀	😊	😟	
월 일 ( )		😀	😊	😟	
월 일 ( )		😀	😊	😟	
월 일 ( )		😀	😊	😟	
월 일 ( )		😀	😊	😟	
월 일 ( )		😀	😊	😟	
월 일 ( )		😀	😊	😟	

<놀이 기록 안내 예시>

끔. 사랑	가 정 통 신 문	** 20-00

학부모님께

안녕하십니까?

코로나19가 확산됨에 따라 아이의 안전을 위해 원격수업을 실시하고 있습니다. 원격수업 내용은 2019 개정 누리과정에 맞추어 놀이 중심으로 진행하고 있습니다. 아이는 놀이에서 또 다른 놀이를 발견하고 그 속에서 배움이 일어납니다. 아이가 마음껏 놀면서 행복해질 수 있도록 돕고자 아이의 놀이를 좀 더 자세하게 들여다볼 수 있는 방법에 대해 안내합니다. 아래 내용을 살펴보시어 아이의 놀이에 숨어있는 의미를 찾아보시기 바랍니다.

아이들의 놀이를 들여다보다 어떻게 해야 할까요?

첫 번째 기록 전 아이의 놀이 흐름에 따라서 이루어지는 놀아를 눈으로 들여다보세요!

놀이의 주체는 아이입니다. 아이가 주도하여 이루어지는 놀이는 그 무엇보다도 가치가 있고 의미가 있습니다. 어른의 시각에서 보면 답답할 수도 있고, 더 쉬운 방법을 제안하고 싶지만 잠시만 멈추고 아이가 의도하는 놀이를 눈으로 봅니다. 기차놀이가 소풍놀이로 바뀔 수도 있고, 책을 읽다가 책이 탑으로 변할 수도 있습니다. 아이가 가지고 있는 놀이 세계에 같이 참여하여 함께 노는 사람이 되면 아이와 노는 것이 힘든 노동이 아닌 즐거운 놀이가 됩니다.

두 번째 아이의 표정, 행동을 들여다보세요!

사람의 얼굴에는 여러 가지 표정이 있습니다. 아이는 말로 표현하는 대신 표정으로 자신의 감정을 드러내는 경우가 많습니다. 또한 아이가 무심코 하는 혼잣말, 표현하는 어휘를 통해 아이의 현재 심리를 알 수 있습니다. 말수가 많은 아이는 먼저 다가와 자신의 생각, 감정을 잘 표현합니다. 말수가 없다고 해서 그 아이에게 생각과 감정이 없는 것은 아닙니다. "왜 내 아이는 말을 안 하지?"라고 걱정하기보다 아이와 같이 놀이하면서 아이의 표정과 행동을 가만히 들여다보면 아이의 마음을 엿볼 수 있는 몸짓언어의 힘을 느낄 수 있습니다.

세 번째 대화를 통해 아이의 상상을 엿보세요!

놀이에서 오가는 대화를 자세히 들어보면 무한한 상상의 세계를 느낄 수 있습니다. 어른의 입장에서는 엉뚱하게 느껴지고 '그런 게 어디 있어? 이상해!'라고 생각할 수 있지만, 아이는 자신의 생각을 자유롭게 말하고 서로 소통하면서 스스로 생각을 만듭니다. 생각의 차단이 아닌 가능성을 열어두고 아이의 놀이를 관찰해보세요. 미처 보지 못한 아이의 무한한 가능성이 보일 것입니다.

감염병 예방하기

새로운 감염병이 생기고, 사람과의 접촉에 신경을 써야 하는 시대가 되었습니다. 내가 다른 사람에게 질병을 옮길 수도 있고, 타인에 의해 내가 감염될 수 있기 때문에 무엇보다도 감염병 예방이 중요합니다. 감염병은 이제 우리 삶에 깊숙이 침투해 있으므로, 감염병에 걸리지 않도록 일상에서 스스로 예방하는 생활습관을 가져야 합니다.

언제나 쉬운 손 씻기

유아들이 청결하게 생활하는 데 아주 중요한 습관 중 하나인 손 씻기는 감염병을 예방하는 가장 쉬운 방법이기도 합니다. 겉으로 보기에는 손이 깨끗해 보이지만, 사실은 그렇지 않습니다. 생활하면서 많은 것을 만지고 잡는 동안 우리 손에는 많은 세균과 바이러스가 살고 있습니다. 손을 씻으면 세균과 바이러스로부터 우리 몸을 건강하게 지킬 수 있습니다.

그렇다면 아이들에게 손 씻기의 중요성을 어떻게 알려줄 수 있을까요? 먼저,

'손 씻기'를 언제, 어디서, 어떻게, 왜 해야 하는지 이야기를 나누어봅시다.

지금은 손 씻기가 필요할 때!

하루 일과 중 손 씻기가 필요한 상황을 다양한 사진 혹은 그림 자료를 활용하여 아이들과 이야기를 나누어봅니다. "모래놀이를 한 후, 우리 손에 묻은 모래가 우리의 눈, 코, 입으로 들어가면 어떻게 될까요?"라고 물어보면 아이들은 "세균이 몸속으로 들어가요" "병에 걸릴지도 몰라요"라고 말합니다.

재미있는 손 씻기

이제 손 씻기를 생활화하기 위해 재미있고, 즐겁게 할 수 있는 방법을 알아볼까요?

손 씻기 손유희

손 씻기 단계를 쉽게 알 수 있도록 '박수'를 활용한 손유희입니다.

손 씻기 하자! 하나, 둘, 셋!
손바닥 대고 짝짝짝
손등 위에 쓱쓱쓱
손깍지 끼고 꿈틀꿈틀
손가락 잡고 문질문질
엄지손가락 잡고 빙글빙글
손톱끼리 대고 박박박

손 씻기 체조

흐르는 물에 30초 이상 손 씻는 것만으로도 감염병 예방에 큰 도움이 됩니다. 하지만 아이들은 30초가 어느 정도의 시간인지 감이 잡히지 않습니다. 모래시계나 타이머 등을 활용하여 30초를 씻을 수 있도록 돕는 방법도 있지만, 아이들이 좋아하고, 즐겨 부르는 짧은 동요(곰 세 마리, 솜사탕 등)를 활용한다면 즐거운 손 씻기 시간이 될 것입니다.

우리의 건강을 위해 마스크는 필수!

○○유치원 원아 중 확진자가 나왔지만 마스크를 잘 쓰도록 교육받고 실천한 결과, 추가 확진자가 나오지 않은 사례가 있었습니다. 이처럼 마스크를 쓰는 것은 나와 다른 사람들의 건강을 위해 매우 중요합니다. 감염병 위험 시대에 온종일 마스크를 쓰고 생활하는 것은 정말 답답하고 힘이 듭니다. 어른들도 참기 힘들어 하는데, 아이들은 얼마나 힘이 들까요? 아이들에게 마스크에 대한 거부감을 줄이고, 마스크를 올바르게 착용하게 하는 지도 방법을 알아봅시다.

마스크와 친해져요!

마스크를 쓰면 답답하기 때문에 마스크 쓰기를 거부하는 아이들이 있습니다.

이런 아이들에게 어떤 도움을 줄 수 있을까요? 요즘에는 아이들이 좋아하는 캐릭터가 그려진 마스크를 판매하기도 합니다. 내가 좋아하는 캐릭터가 그려진 마스크라면 조금 더 친근감을 가지고 마스크를 착용할 수 있겠지요. 또는 유아가 사용하는 마스크에 별명을 붙여주면 마스크에 애착을 가지고 사용하는 데 도움이 됩니다.

마스크를 잘 챙겨요!

마스크 착용이 생활화되면서 '마스크 목걸이 줄'이 아이들에게 유행처럼 번졌습니다. 마스크 목걸이 줄을 사용하면, 마스크를 잃어버릴 가능성이 적다는 장점이 있습니다. 아이들이 자기 마스크 목걸이 줄을 직접 만들어보는 것도 마스크와 친해지는 방법입니다. 하지만 줄을 잡아당기면 위험할 수 있고, 마스크를 벗어 목에 걸고 장난을 치는 경우 마스크가 오염될 수 있으므로 아이들에게는 올바르게 착용하는 방법을 알려주어야 합니다. 이 외에도 마스크 보관함 등으로 마스크를 잘 보관할 수 있습니다.

마스크에게 보내는 편지

마스크에 대한 자신의 감정을 그림이나 글로 표현하면서 불편하게 여겼던 마스크의 소중함과 고마움을 느낄 수 있습니다. 우리를 감염병의 위험으로부터 안전하게 보호해주는 마스크에게 고마운 마음을 표현해보는 건 어떨까요? 아이들이 마스크에게 보내는 편지를 써봅니다. 다음은 아이들이 마스크에게 보내는 편지 예시입니다.

마스크에게 보내는 편지

감염병! 이렇게 예방하세요(가정 연계 자료)

유아교육 기관에서는 코로나19, 수두 및 수족구병, 식중독, 인플루엔자 등의 감염병을 예방하기 위해서 유아들과 함께 이야기 나누기, 동화 감상, 노래 부르기, 상황극 등 다양한 활동을 전개하고 있습니다. 또한, 유아교육 기관과 가정이 연계하여 감염병 예방 교육이 이루어질 수 있도록, 감염병과 관련된 부모교육 자료들을 가정에 지속적으로 발송합니다.

유아들이 건강하고 안전하게 지낼 수 있도록 주요 감염병과 관련된 부모교육 자료를 다음과 같이 제시합니다.

<부모교육 자료 예시>*

| 보건교육자료 2020-002-1호 | 감염병 예방 1 | 꿈과 사랑이 가득한 ○○유치원 |

코로나19를 예방해요!

코로나19 증상

코로나바이러스(SARS-CoV-2)에 의한 호흡기 감염질환으로 감염되면 약 2~14일 (추정)의 잠복기를 거친 뒤 호흡기 증상(발열 : 37.5도, 기침이나 호흡곤란 등), 폐렴이 주 증상으로 나타납니다. 그 외 가래, 인후통, 두통, 객혈과 오심, 설사 등도 나타납니다. 다만 무증상 감염 사례도 드물게 나오고 있습니다.

감염 경로

1. 주로 감염된 환자의 비말(침방울)이 호흡기로 침투될 때 전염됩니다.
2. 기침이나 재채기를 할 때 침 등의 작은 물방울(비말)에 바이러스 세균이 섞여 나와 타인에게 감염됩니다.
3. 환자의 비말이 눈, 코, 입에 직접 들어가거나 바이러스가 묻은 손으로 만졌을 때 전염됩니다.
4. 바이러스의 이동 거리는 2m 정도입니다.

코로나19 예방 수칙

1. 흐르는 물에 30초 이상 비누로 꼼꼼하게 손을 씻습니다.
2. 세면대가 없는 곳에서 활동할 때는 알코올 손 세정제로 수시로 손을 씻습니다.
3. 외출하거나 의료기관에 들를 때 마스크를 꼭 착용합니다.
4. 사회적 거리두기를 실천합니다.
5. 눈을 만지거나 코를 비비지 않습니다.
6. 사람들이 많은 곳의 방문을 자제합니다.
7. 기침이나 재채기할 때 옷소매로 입과 코를 가리고 합니다.

* 출처: 주요 감염병 관리 안내서. 인천광역시 감염병 관리 지원단.
  식중독 예방진단 컨설팅 매뉴얼. 2016. 식품의약품안전처. 유아 감염병 예방위기 대응매뉴얼. 2018. 교육부.

감염병 예방 2

수두를 예방해요!

수두 증상

수두는 대상포진 바이러스에 의해 전염되는 발진성 질환으로 대부분 소아에서 발생하며, 전염력이 매우 강합니다. 대개 발진이 몸통에서 시작하여 얼굴 어깨로 퍼져나가며 발진은 곧 수포(작은 물집)로 변하고 5~6일 후에는 딱지가 앉습니다. 또한 발진(수포)은 매우 가려워 자꾸 긁게 됩니다.

수두전파예방

1. 수두는 환자가 기침을 하거나 말을 할 때 튀어나오는 비말에 의해 전파가 되거나 수포나 발진 부위를 통해 다른 이에게 전파가 됩니다.
2. 수두는 발진이 생기기 1~2일 전부터 모든 피부병변에 가피가 생길 때까지, 혹은 24시간 안에 새로운 피부병변이 생기지 않을 때까지 전염력이 있으며 이 기간 동안은 등원하지 않아야 합니다.
3. 집안에 소아 및 청소년 등 수두 예방접종을 하지 않았거나 수두에 걸린 적이 없는 사람들은 환자와의 접촉을 피해야 합니다.

수두 예방수칙

1. 생후 12~15개월에 예방접종을 실시하며, 과거 수두를 앓은 적이 없거나 예방 접종력이 없는 사람에게 접종을 권장합니다.
2. 만 12세 이하의 경우 1회 접종, 만 13세 이상의 경우 4~8주 간격으로 2회 접종을 실시합니다.
3. 만일 유치원에서 환자가 발생하였다면 환자와의 접촉을 피하며, 아직 발생하지 않은 유아들은 가까운 병원을 방문하여 예방접종을 하도록 권장합니다.
4. 양치질, 손 씻기, 샤워를 자주 하여 몸을 청결하게 유지합니다.
5. 모든 피부병변과 상처는 깨끗이 관리하고, 2차 감염이 되지 않도록 주의합니다.
6. 마스크 착용, 기침 예절 지키기 등 개인위생을 철저히 합니다.

감염병 예방 3

수족구를 예방해요!

수족구병 증상

1. 발열, 인후통, 식욕부진 등으로 시작하여 발열 후 1~2일째 구강 내 혀, 잇몸, 뺨의 안쪽, 입천장 등에 통증이 있으며, 붉은 반점이 보이는 질병입니다.
2. 입속 물집으로 인해 통증이 심하여 아이는 밥을 잘 못 먹고 물도 마시기 어려워하므로 탈수의 위험이 있습니다.

감염 경로

1. 주로 감염된 환자의 대변, 호흡기 분비물(침, 가래, 콧물), 수포의 진물 접촉으로 전파됩니다.
2. 환자가 기침이나 재채기를 할 때 공기로 전염됩니다.
3. 바이러스가 묻은 물체를 만진 뒤 눈, 코, 입 등을 만졌을 때 전염됩니다.
4. 오염된 물을 마시거나 수영장에서도 전염이 가능합니다.
5. 발병 1주일 동안 전염력이 강하므로 환아는 집단 발병 방지를 위해 유치원에 등원하지 않습니다. 수포 발생 후 6일 또는 수포에 딱지가 앉을 때까지 집에서 자가 격리치료를 해야 합니다.

수족구 예방 수칙

1. 현재 수족구병을 예방할 수 있는 백신은 없습니다. 따라서 유행 시기에는 물을 끓여 먹는 게 좋습니다.
2. 고체 비누나 액체비누를 사용하여 30초 이상 손을 자주 깨끗이 씻습니다.
3. 유아들의 손이 닿는 모든 물건을 청결(소독)히 해야 합니다.
4. 수족구병 환자와 입맞춤이나 포옹을 삼가고, 환자가 사용하는 식기를 함께 쓰지 않습니다.
5. 감염예방을 위하여 사람들이 많이 모이는 곳은 피합니다.

감염병 예방 4

식중독을 예방해요!

식중독이란?

식중독은 상한 음식물, 살아있는 세균에 의한 오염, 세균의 독성이 남아 있는 음식물을 섭취하였을 때 장에서 만들어진 독성에 의해 발생하는 병입니다.

식중독 증상

1. 구토, 설사, 복통, 메스꺼움이 12~48시간 동안 지속됩니다.
2. 간혹 두드러기가 나타날 수 있습니다.
3. 음식을 먹은 후, 1~2시간 만에 빠르게 나타나거나 48시간 이후 느리게 나타날 수 있습니다.

식중독 예방 3대 원칙

1. 손만 깨끗이 닦아도 식중독 예방이 됩니다. 따라서 손바닥, 손등, 손가락 사이, 손톱 밑까지 구석구석 꼼꼼하게 닦습니다.
2. 음식물을 제대로 조리하지 않았을 경우 식중독이 발생할 수 있습니다. 육류, 어패류 등은 완전히 익혀서 먹도록 합니다.
3. 깨끗한 물(정수한 물)이나 끓인 보리차를 자주 마시는 것이 좋습니다.

감염병 예방 5

인플루엔자를 예방해요!

인플루엔자란?

1. 흔히 '독감'이라고 불리는 병으로 인플루엔자 바이러스가 호흡기(코, 인두, 기관지, 폐 등)로 들어와 감염되는 병입니다.
2. 인플루엔자는 일반 '감기'와는 달리 심한 증상을 나타내거나 생명이 위험한 합병증(폐렴 등)을 유발할 수 있는 질병입니다.

증상 및 감염경로

1. 고열이 없는 경우도 있지만 대부분 급격한 고열이 발생합니다. 열은 급격히 상승하여 발병 후 1~3일 이내 38~39℃ 또는 그 이상에 도달합니다. 이후 다른 증상과 함께 회복하며, 1주일 정도 내에 대개 평상 체온으로 복귀됩니다.
2. 콧물, 인후통, 기침 등과 같은 호흡기 증상이 발생합니다.
3. 구토 및 설사, 전신 증상(두통, 요통, 근육통, 전신 피로감 등)이 나타납니다.
4. 환자가 기침이나 재채기를 할 때 분비되는 침, 콧물을 통해 전파됩니다.
5. 바이러스에 오염된 물건을 만진 후, 눈, 코, 입 등을 만지는 경우에 발생합니다.
6. 환기가 잘되지 않는 밀집된 공간에서는 공기 전파도 가능합니다.

인플루엔자 예방 수칙

1. 고체 비누나 액체 비누를 사용하여 30초 이상 손을 자주 깨끗이 씻습니다.
2. 기침을 할 때 휴지나 옷소매 위쪽으로 입과 코를 가리고 하며, 마스크를 착용합니다.
3. 손으로 눈, 코, 입 등을 만지지 않습니다.
4. 기침, 콧물 등 호흡기 증상자와 접촉을 피합니다.
5. 환자와 공동으로 사용하는 물건이나 시설을 청소, 소독합니다.

4장

교육으로
감염병을 극복하다 2
- 비대면(온라인) 수업

교사 공동체가 함께 만든
온라인 수업의 기적

코로나19는 교육계에도 큰 영향을 미쳤습니다. 감염병 확산을 막기 위해 전국 단위 학교의 개학 연기가 이루어졌고, 교육 현장의 많은 선생님과 아이들은 서로를 만나지 못한 채 온라인으로 소통을 시작했습니다.

초·중·고등학교에서는 세 차례에 걸친 개학 연기에 학생들의 수업 결손을 막기 위하여 '온라인 개학'을 실시했습니다. 하지만 유치원은 유아들이 성인의 도움 없이 온라인 수업에 참여하기 어렵다는 발달적 특성과 놀이중심 교육과정의 특성에 따라 온라인 개학이 아닌 무기한 휴업을 했습니다. 하지만 아이들과 만날 날을 마냥 기다릴 수만은 없었기에 선생님들이 힘을 모았습니다.

아무도 가보지 못한 어려운 상황을 극복해내는 대한민국의 힘을 전 세계에서는 K-방역, 그리고 K-EDU라고 부르며 주목했습니다. 그리고 많은 사람이 포스트 코로나 시대에는 대한민국이 국제사회의 중심이 될 것이라고 예언하고 있습니다. 어려운 상황 속에서 대한민국의 교육은 더욱 빛이 났습니다. 이것은 전국의 수많은 유아교육 기관의 학습공동체가 그리고 모든 선생님이 만들어낸 기적입니다.

유치원에 오지 못하는 아이들을 위해 영상을 활용한 유치원 소개와 선생님 소개를 통해 온라인 소통을 시작했습니다. 이렇게 시작된 온라인 소통은 긴 휴업 동안 등원을 손꼽아 기다리던 아이들에게 가뭄에 단비 같은 행복한 시간이었습니다.

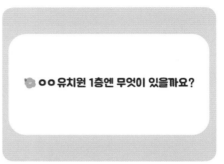

유치원 소개

또한, 전국 각지의 선생님들은 긴 휴업 동안 많이 지쳐 있을 아이들을 위해 집단지성을 발휘했습니다. 유치원에서의 온라인 수업 형태는 기관별로 매우 다양하게 나타납니다. 유아들에게 온라인 수업이 어렵다는 말들이 있었지만, 유아교육 기관의 많은 선생님은 그 어려움을 극복하기 위해 더 고민하고 연구했습니다. 많은 선생님의 도전 의식과 연구하는 자세가 있었기에 가능했던 일입니다.

유치원 소개

온라인 수업 계획 및 안내

사회적 거리두기가 격상되면서 밀집도를 최소화하기 위하여 등교 인원을 제한하여 유아교육 기관을 운영했습니다. 하루빨리 일상으로 복귀를 할 수 있도록 정부 지침에 따라 교육부, 교육청, 그리고 각 교육기관에서 거리두기에 동참했습니다. 이러한 상황에서 가정에서 원격수업에 참여해야 하는 유아가 늘어났습니다. 그리고 이 상황을 학부모님께 안내하고, 원격수업에 참여할 수 있는 상황이라면 가정에서 원격수업을 할 수 있도록 협조를 부탁드렸습니다. 다음은 밀집도 최소화를 위한 등교 인원 조정 안내문입니다.

유치원 밀집도 최소화를 위한 등교-원격 병행수업 안내

안녕하십니까?
주말 동안 안내해드린 바와 같이 교육부에서 밀집도 최소화 관련 조치에 따라 우리 유치원도 원격수업과 등교수업을 병행하게 되었습니다.(2주간 실시 예정) 이에 어린이를 두 그룹으로 나누어 월-목 또는 화-금의 주 2회 등교를 실시하며, 수요일에는 안전한 환경을 위한 유치원 소독 및 방역이 실시됩니다. 최근 수도권 지역의 확진자 급증으로 인한 지역 사회의 코로나 감염 확대를 막고 일상으로의 복귀를 앞당기기 위한 강력한 조치이므로 안전한 유치원 생활을 위하여 동참해주시기를 부탁드립니다.

□□ 유치원장

등교-원격 병행수업안

[   ] 어린이는 [ ] 팀입니다.

	월요일	화요일	수요일	목요일	금요일
A팀	등원	원격	원격	등원	원격
B팀	원격	등원	원격	원격	등원

1. A팀 어린이는 월요일과 목요일에 유치원에 등원합니다.(화요일, 수요일, 금요일 원격)
2. B팀 어린이는 화요일과 금요일에 유치원에 등원합니다.(월요일, 수요일, 목요일 원격)
3. 돌봄 신청 어린이는 원격 등원일에도 등원이 가능하며, 돌봄교사와 함께 수업이 이루어집니다.
4. 수요일에는 유치원 내 소독 및 방역이 이루어집니다.

★ 원격수업은 이렇게 진행됩니다. ★

· 원격수업을 위한 계획안과 꾸러미가 제공됩니다.
· 가정에서 원격수업 후 놀이활동기록지를 작성하셔서 제출하시면 출석이 확인됩니다.
· 긴급 돌봄 신청어린이는 증빙서류 제출이 필요합니다.

♣ 맞벌이
　1. 4대 보험 가입재직자
　　- 재직증명서, 위촉계약서, 근로계약서 중 1부
　　　(4대보험 가입증명서, 고용보험피보험자격내역서, 건강보험자격 취득 확인서, 국민연금 가입
　　　증명서로 대체 가능)
　2. 프리랜서 혹은 4대 보험 미가입인 경우
　　- 재직증명서, 근로 계약서 중 1부와 3개월 급여 이체 통장 사본
　　　(고용 입금 확인서, 소득세납세증명서, 근로소득 원천징수영수증, 소득금액증명원, 소득확인서
　　　로 대체 가능)
♣ 한부모 가정
　- 한부모 가족 지원법에 따른 한부모 가족 증명서와 재직증명서

□□유치원

	[긴급] 코로나 19 관련 사회적 거리두기 2단계 격상에 따른 등교 인원 조정 안내	담당자 전화 ☎ 000-0000

학부모님, 안녕하십니까?

코로나19의 집단 발병 사례가 지방까지 확산되고, 깜깜이 감염 비율도 20%를 돌파하는 등 전국적으로 감염 우려가 증가하고 있습니다. 정부는 '일촉즉발' 위기에 직면하여 사회적 거리두기 2단계 전국 확대를 결정하였고, 교육부에서는 유치원 및 초·중학교 밀집도 최소화 인원 기준을 1/3로 변경하였습니다. 세종시 관내 학교 기관 역시 2단계 체제 내에서 운영을 해야 하는 실정이며, 세종시 신규 확진자 증가로 발병 위험이 더욱 커지고 있습니다.

<u>8월 26일(수)부터 등교 인원 1/3로 전면 실시됨</u>에 따라 우리 유치원도 등원수업(57명 이내)과 원격수업을 병행해야 합니다. 그러나, 현재 우리 유치원에서는 긴급돌봄 참여 유아 수가 이미 1/2을 넘어, 긴급돌봄에 참여하지 않는 유아들은 모두 전면 원격수업에 참여해야 합니다. 또한 긴급돌봄 참여 유아가 1/3을 넘을 경우 긴급돌봄 참여 유아들도 등원수업과 원격수업을 병행해야 합니다.

이에 학부모님들께 간곡히 부탁드리고자 합니다.
우리 유치원에서는 긴급돌봄 참여 유아를 부부 모두 출근으로 인하여 가정에서 돌봄이 불가능한 가정의 자녀로 한정하고자 합니다. 많은 어려움이 있겠지만, 맞벌이 가정이라도 돌봄이 가능한 가정(휴직 중인 부모님, 조부모님 등이 계셔서 돌봄이 가능한 가정, 시차 출퇴근이나 재택근무 등이 가능한 학부모님 등)에서는 유치원에 등원하지 않고 가정에서 지낼 수 있도록 협조해 주시기 바랍니다.

감염병 예방은 사람들과 접촉을 최소화할수록 안전하고, 면역력이 약한 유아들의 경우에도 감염의 우려가 많이 있습니다. 부득이하게 유치원에 보내야만 하는 학부모님(돌봄 대리자 없이 부부 모두 출근)께서는 담임교사에게 먼저 전화로 연락(오후 1시 이후)해주시고, 「긴급돌봄 희망 신청서」를 오늘(8월 24일, 월요일) 16:00까지 제출하여 주시기 바랍니다. 또한 신청 현황에 따라 등교 인원 1/3 조정을 위한 유치원의 안내에 협조하여 주시기 바랍니다.

코로나19 전국 2차 대유행을 앞둔 심각한 상황입니다!
전 국민이 힘을 모아 하루빨리 아이들이 안심하고 유치원에 등원할 수 있도록 적극 동참하여 주시기를 부탁드립니다.

○○유치원

9월 3주 유치반 원격 수업 세부 일정

날짜 / 구분	14일(월)	15일(화)	16일(수)	17일(목)	18일(금)
영상 시청	생방송 우리 집 유치원 (9:40 ~ 10:30)	생방송 우리 집 유치원 (9:40 ~ 10:30)	생방송 우리 집 유치원 (9:40 ~ 10:30)	생방송 우리 집 유치원 (9:40 ~ 10:30)	수학이 야호 (출처: EBS 키즈)
즐거운 놀이	<스페셜 데이> 인형극 공연 '틀려도 괜찮아!'	<그림책 감상> 비가 톡톡톡	<그림책 감상> 마음 여행	<동시 감상> 이건 상자가 아니야!	<그림책 감상> 장화 쓴 공주님
재밌는 놀이	<노래 부르기> '넌 할 수 있어'	<노래 부르기> 비가 온다 제작: ○○유치원	<미술 놀이> 손수건 접기 놀이	<구성 놀이> 종이컵 자유놀이	<구성 놀이> 블록 자유놀이
신나는 놀이	<탐구놀이> '얼려먹는 초코 만들기' 놀이	<산가지로 놀자 I > 내 맘대로 산가지 놀이	<산가지로 놀자 II > 반!반! 산가지 놀이	<산가지로 놀자 III > 이건 산가지 상자가 아니야!	<산가지로 놀자 IV > 산가지로 꾸민 얼굴

* 9월 14일(월) '스페셜 데이'에는 다양한 활동을 제공합니다.

* 본 수업자료는 저작권법 (제25조2항)에 따라 유치원 수업을 목적으로 이용되었으므로, ○○유치원 클래스팅 공간에서만 이용이 가능하며, 이외의 공간에서 공유, 게시할 경우 저작권법 위반에 해당될 수 있습니다.

○ ○ 유 치 원

<원격수업 계획안 예시>

5세반 교육계획안

주제	새로운 친구 / 재미있는 '집' 놀이2	활동 기간	<6월 2주> 6월 8일~6월 12일
목표	나와 친구는 생각과 표현이 다를 수 있음을 이해하고, 친구와 함께하는 즐거움을 느낀다. 개인 위생을 지키며 즐겁고 안전하게 놀이할 수 있다.		

원격수업 놀이활동

• EBS 교육방송 <우리집유치원> : 오전 9:40 ~ 10:30

원격-1
• 자연놀이 : 내가 만드는 작은 세상(2)
 - 얼음 낚시를 가보자
 - 얼음 속 동물을 구하라!
 - 빙하가 녹고 있어요!

• 인천시교육청 '퐁당-집 놀이(자연놀이)'

원격-2
• 동물 발자국 패턴 메모리 카드
 - 어떤 동물의 발자국일까요?
 - 같은 발자국을 찾아보아요

원격-3
• 인성교육
 - 경청하는 멋진 귀 만들기
 : 경청에 대해 이야기 나눈 후,
 경청하는 멋진 귀를 만들어요.

신체운동·건강

• 코로나19 Safety Zone
 - 교실에서 유증상자가
 발생했을 때

• 유튜브 '인천시교육청' 중에서

• 재미있는 안마놀이

• ○○처럼 해봐요

(중앙)
새로운 친구
재미있는 집 놀이 2

의사소통

• 동화 '같이 놀래'

• 우리반 친구들 작은 책 만들기

예술경험

• 친구야 사랑해

• 내 마음이 기쁜단다

자연탐구·사회관계

• 실외놀이
 - 친구와 손을 잡고 걸어요

• 인성교육
 - 부모님 말씀에 귀 기울여요

★ 위 활동은 유아의 흥미 및 놀이 진행에 따라 달라질 수 있습니다.

♥새노래♥
♫내 마음이 기쁜단다♫
친구야 나의 친구야
장난감을 내게 나눠 주어서
친구야 나의 친구야
내 마음이 기쁜단다

♥ 생일을 축하합니다 ♥

○○유치원

<원격수업 계획안 예시>

7세반 교육계획안

주제	유치원과 친구 / 재미있는 '집' 놀이2	활동 기간	<6월 2주> 6월 8일~6월 12일
목표	우리반에서 지켜야 될 규칙을 정하고 실천해본다. 개인 위생을 지키며 즐겁고 안전하게 놀이할 수 있다.		

원격수업 놀이활동

• EBS 교육방송 <우리집유치원> : 오전 9:40 ~ 10:30

원격-1

• 자연놀이 : 내가 만드는 작은 세상(2)
- 얼음 낚시를 가보자
- 얼음 속 동물을 구하라!
- 빙하가 녹고 있어요!

• 인천시교육청 '풍당-집 놀이(자연놀이)'

원격-2

• 명화감상 : 앙리 루소의 꿈
- 앙리 루소의 '꿈' 명화를 감상하고 상상하며 나만의 작품으로 완성해보기

원격-3

• 재미있는 과학 탐구교실
- 짠, 거울 변신

신체운동 • 건강

• 코로나19 Safety Zone
- 교실에서 유증상자가 발생했을 때

• 유튜브 '인천시교육청' 중에서

• 음악 줄넘기
- 줄넘기 탐색하기

유치원과 친구 재미있는 '집' 놀이 2

의사소통

• 우리반 규칙
- 우리반 약속판 만들기

예술경험

• 새노래
- 친구가 되는 멋진 방법
• 랩하프
- 랩하프는 어떤 악기일까?

자연탐구 • 사회관계

• 알버트
- 알버트 조작법
  (앞으로 가기 / 실행)

★ 위 활동은 유아의 흥미 및 놀이 진행에 따라 달라질 수 있습니다.

♬친구가 되는 멋진 방법♬
첫 번째로 인사하기
친구에게 들어주진 두 번째
세 번째엔 진심으로 맞장구치기 (그래그래)
그 다음에 시작하는 나의 이야기는 네 번째
하고픈 말 쌓여도 실지어 조금만 기다려요

하하하하 눈빛 웃음 주고
그래그래 마음 길이 이해하고
맞아맞아 진심으로 나누다보면
정말정말 내 친구가 된 것 같은 느낌이 가득
친구가 되는 제일 멋진 방법은 마음으로 들어주기
떨렁떨렁 한잎을 떨렁떨려 두겹을
마음으로 들어주기가 제일이에요.

생일을 축하합니다

○○유치원

온라인 수업의 실제

온라인 수업은 다음 4가지 유형으로 나눕니다.

1. 콘텐츠 활용 중심 수업
2. 과제 수행 중심 수업
3. 실시간 쌍방향 화상 수업
4. 기타 학교장이 별도로 인정하는 수업

이러한 온라인 수업의 형태를 아이들에게 적합한 방법으로 적용하기 위해 선생님들이 시도했던 여러 방법을 소개합니다.

콘텐츠 활용 중심 수업

여러 유아교육 기관에서 가장 많이 시도한 온라인 수업 형태입니다. 선생님이 아이들에게 교육적인 콘텐츠를 선정하여 안내하면 아이들은 부모님의 도움을 받아 콘텐츠를 시청하는 형태입니다. EBS, 유튜브, 유아교육진흥원에서 제공한 다양한 콘텐츠를 기관과 아이들의 특성에 따라 선택하여 제공합니다. 이때 콘텐츠가 우리 아이들에게 바람직한 형태인지 확인하는 작업이 꼭 필요합니다.

　제작된 자료가 부족할 경우에는 선생님들이 직접 아이들에게 꼭 맞는 콘텐츠를 제작하기도 하는데, 수업 콘텐츠 제작이 처음이다 보니 많은 시행착오를 겪어야 했습니다.

촬영이나 편집 기술 활용의 미숙함

　아이들을 마주하고 수업을 진행했던 때와 달리 온라인으로 만나 수업을 진행해야 하기 때문에 수업 내용을 아이들이 이해할 수 있도록 촬영하고, 편집하는데 많은 노력을 기울여야 합니다. 하지만 촬영 기술이나 편집 기술이 미숙한 선생님들은 이 과정에서 많은 시행착오를 겪었습니다. 또 편집 프로그램이나 앱을 자비로 구매하여 활용하기도 했습니다.

대면 수업과 영상 제작 병행의 어려움

　유아교육 기관의 특성상 '돌봄'이 필요한 유아들은 기등원을 하고, 가정에서 '돌봄'이 가능한 유아들은 가정에서 온라인 수업을 받았습니다. 이처럼 대면 수업과 비대면 수업이 함께 이루어지는 상황에서 선생님들은 이것을 병행하는 데 어려움을 겪었습니다. 교실에서 대면 수업을 하고 난 후, 다음날 대면 수업과 온라인 수업에 활용할 수업자료를 개발했습니다. 선생님들은 수업 준비뿐 아니라 유아 및 학부모 상담, 행정업무 처리 등 다양한 역할을 수행하는 데 주어진 시간 안에 모든 역할을 수행해내기에는 부담이 큽니다.

저작권에 대한 걱정

선생님들은 내가 다양한 자료를 참고하여 만든 수업자료가 '저작권' 문제에 휘말릴 수 있다는 걱정을 하기도 합니다. 질 좋은 온라인 수업자료를 위해서 선생님들을 위한 저작권법에 대한 교육, 공통 가이드라인이 필요하기도 합니다. 저작권법 시행령 제9조에서는 교육기관에서 제공하는 수업에 대한 저작권 보호 조치를 명시하고 있으며, 한국저작권위원회에서도 '원격수업이 인터넷으로 전송되기 때문에 교육기관에서 "접근제한조치, 복제방지조치, 경고문구 표시 등" 세 가지 조치를 실시' 하도록 강조하고 있습니다.

> **(예시) [저작권 안내]**
>
> 저작권법(제25조 3항)에 따라 학교 수업을 위한 저작물(사진, 글, 그림, 영상 등)은 본 페이지에서만 이용 가능하며, 이 외의 공간에서 저작물을 공유 또는 게시하는 행위는 저작권법 위반에 해당될 수 있습니다.

개인정보 유출에 대한 우려

선생님이 직접 화면에 출연하는 경우, 아이들이 친근감을 느끼고 몰입해서 수업에 참여할 수 있다는 장점이 있습니다. 하지만 선생님의 얼굴이 드러나는 수업자료를 악용하는 사례가 있어 직접 출연하는 것을 망설이는 경우도 있습니다. 온라인 수업이라는 어려운 여건 속에서 양질의 교육을 제공하기 위해 노력하는 선생님들은 수업자료가 온전히 아이들의 교육에 활용되기를 원합니다. 아이들의 학습권과 교사의 교권이 함께 존중받을 수 있도록 사전에 학부모님께 온라인 수업과 관련하여 협조 사항을 안내할 필요가 있습니다.

출처: 교육부 [즐거운 원격 수업] 개인정보를 소중히! 카드뉴스

앞에서 이야기한 여러 가지 시행착오, 어려운 점, 걱정은 함께 노력하여 해결할 수 있습니다. 촬영이나 편집 기술을 익힐 수 있도록 교사 교육을 진행하고, 온라인 수업자료를 편집할 수 있는 다양한 프로그램과 앱을 제공해주어야 합니다. 또한, 대면 수업과 비대면 수업을 병행하는 데 부담을 느끼지 않도록 함께 연구하고, 제작한 수업자료를 공유할 수 있는 분위기가 형성되어야 합니다. 그리고 대면 수업과 비대면 수업을 달리 보지 않고, 제작한 수업자료를 양쪽 모두에게 적

용하여 아이들이 유아교육 기관과 가정 양쪽으로 떨어져 있지만 공통의 경험을 할 수 있도록 자료를 활용하면 좋습니다. 마지막으로 '저작권'이나 '개인정보 유출' 문제로 겪는 어려움을 해결할 수 있도록 정부와 교육청 차원에서 실제로 실현 가능한 대책 마련과 적극적인 지원이 필요합니다.

다음은 '콘텐츠 활용 중심 수업' 사례입니다.

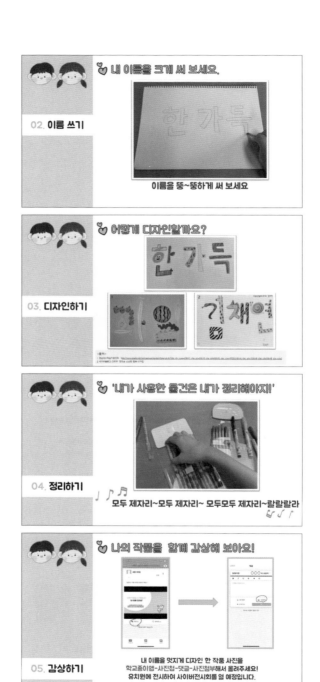

과제 수행 중심 수업

교사가 제시한 활동을 수행한 뒤 피드백을 받는 형태로 시차가 있어 실시간 소통은 어렵지만, 아이들과 소통하는 방법으로 사용합니다. 유치원에서 가정으로 제공해준 콘텐츠를 활용한 활동도 있고, 교사들이 아이들에게 적합한 자료로 구성한 꾸러미를 활용한 활동도 있습니다.

원격수업 계획안을 수립하고 그 계획에 따라 아이들이 가정에서 활용할 수 있는 다양한 놀이자료(놀이꾸러미)를 여러 번 협의를 거쳐 준비했습니다. 만나는 것이 조심스럽기 때문에 온라인 수업을 위한 자료를 택배나 워킹스루 혹은 드라이브스루로 전달하고, 아이들이 놀이자료를 활용하여 즐겁게 놀이할 수 있도록 선생님들이 직접 아이들의 눈높이에 맞는 놀이 안내 자료도 함께 제공했습니다.

이 과정에서 어려움도 많았습니다. 종이컵, 색종이와 같은 소소한 자료는 학부모가 보기에 거창하고 특별한 놀잇감은 아닙니다. 하지만 선생님들은 이러한 자료들로 아이들이 스스로 생각하여 다양하고 독특한 방법으로 놀이할 수 있길 바랍니다. 이런 경우 놀이자료를 안내할 때, 학부모에게 충분히 선생님의 의도와 아이들의 다양한 활용 예시를 안내하면 좋습니다. 그리고 놀이자료가 '숙제'로 느껴져 부담스럽다는 의견도 있었습니다. 교사들은 기관에서 배부한 놀이준비물로 할 수 있는 원격수업 자료를 제작하여 안내하고, 가정에서 쉽게 구할 수 있는 준비물을 활용한 다양한 놀이를 소개하는 것이 좋습니다.

아이들은 콘텐츠 혹은 꾸러미를 활용하여 가정에서 즐겁게 활동을 하고, 부모님은 활동사진이나 소감을 학교종이, 클래스팅 등의 플랫폼에 탑재합니다. 교사는 그 내용을 확인하고, 유아와 학부모에게 피드백을 해줍니다. 댓글을 달아주거나 직접 전화를 하는 등 다양한 형태로 피드백을 하며, 아이의 활동을 격려하고 지지해줄 수 있습니다.

또한, 아이들이 가정에서 활동한 사진을 모아 유아교육 기관에 전시회를 열 수도 있습니다. 이런 방법은 아이들이 유치원에 가지 못해도 내가 생활하던 공간에 내 작품이 전시되어 있는 모습을 볼 수 있기 때문에 반응이 매우 좋습니다.

놀이꾸러미 소개

<놀이꾸러미 배부 안내문>

	자연을 닮은 아이들, 꿈이 자라는 유치원 【5월】'재미가득꾸러미' 배부 안내	2020.04.24. ☎ 000-0000

안녕하십니까?

유치원 휴업 기간 중 가정에서의 놀이를 지원하기 위하여 '재미가득꾸러미'를 배부해 드리고자 합니다. 어린이날 축하의 마음을 담은 선물과 가정의 달을 맞아 가족과 함께할 수 있는 다양한 자료로 구성하였습니다. 학교종이앱-알림장의 재미가득꾸러미 연계활동을 적극 활용하여 주시고, 가정의 달 5월에 자녀와 함께 더욱 뜻 깊은 시간을 보내시기 바랍니다.

대면접촉을 최소화하기 위해, 꾸러미 배부는 유치원 앞 개방된 장소에서 연령별 시간차를 두고 실시합니다. 배부 시간을 확인하여 주시고, **반드시 마스크를 착용한 후 방문**하여 주시기 바랍니다. 자료를 수령한 뒤에는 신속히 이동하여 사회적 거리두기를 실천하여 주시면 감사하겠습니다.

★ 배부 안내 ★

• 일시 : 2020년 4월 29일 (수)

학급	배부 시간
만 3세반 (새싹반, 신시반, 산들반)	14:00
만 4세반 (햇살반, 샘물반, 호수반)	15:00
만 5세반 (하늘반, 바다반, 우주반)	16:00

• 장소 : ○○유치원 현관 앞
• 대상 : ○○유치원 유아 전원 (학부모님 수령)
   ※ 돌봄 신청유아는 귀가 시 수령 가능
• 내용 : 재미가득꾸러미 (어린이날 선물 포함)
• 방법 : 워킹쓰루(walking through)

○○유치원

5월 교육활동 안내 (만 5세)

○○유치원

교육주제	가족과 사랑을 나누어요	기간	2020.5.4.(월)~5.29(금)
교육목표	◎ 나와 가족을 소중히 여기며 화목하게 지낸다. ◎ 가정에서의 놀이 경험을 공유하여 소속감을 가진다.		

일 시	활동형태	활동명	재미가득꾸러미 자료
5/4 (월)	신체놀이	◎ 사랑 가득 로션 놀이	
5/5 (화)		어린이날	
5/6 (수)	환경교육	◎ 콩나물 키우기	
5/7 (목)	미술놀이	◎ 카네이션 만들기	
5/8 (금)	안전교육 및 학급별 활동	◎ [직업안전] 원에서 일하시는 분들 ◎ 가정과의 소통	
5/11 (월)	신체놀이	◎ 3D 입체 구슬 놀이	
5/12 (화)	인성동화	◎ 장군님이 춤을 춘 이유가 궁금해?	
5/13 (수)	환경교육	◎ 봉선화 키우기	
5/14 (목)	미술놀이	◎ 하트 향초를 선물해요	
5/15 (금)	안전교육 및 학급별 활동	◎ [폭력예방 및 신변보호] 나쁜 느낌을 말해요 ◎ 가정과의 소통	

<원격수업(놀이꾸러미) 활동 안내문>

교육주제		가족과 사랑을 나누어요	기간	2020.5.4.(월)~5.29(금)
교육목표		◎ 나와 가족을 소중히 여기며 화목하게 지낸다. ◎ 가정에서의 놀이 경험을 공유하여 소속감을 가진다.		
일 시	활동형태	활동명		재미가득꾸러미 자료
5/18 (월)	신체놀이	◎ 엄마랑 아빠랑 누워서 놀아요		
5/19 (화)	인성동화	◎ 세상에서 제일 좋은 가족		
5/20 (수)	환경교육	◎ 텃밭상자를 관찰해요		
5/21 (목)	미술놀이	◎ 팝업 얼굴책, 나를 소개해요		
5/22 (금)	안전교육 및 학급별 활동	◎ [생활안전] 위험한 식품 첨가물 ◎ 가정과의 소통		
5/25 (월)	신체놀이	◎ 가족과 함께하는 기본 체조		
5/26 (화)	인성동화	◎ 아빠 얼굴		
5/27 (수)	환경교육	◎ 바다의 날		
5/28 (목)	미술놀이	◎ 소중한 나의 몸 관절인형		
5/29 (금)	안전교육 및 학급별 활동	◎ [약물 및 사이버중독예방] 　친구의 약을 먹으면 안 돼요 ◎ [교통안전] 자동차 옆에서 놀지 않아요 ◎ 가정과의 소통		

※ 활동 방법은 유인물 또는 학교종이앱-알림장으로 안내드립니다.

<과제 수행 중심 수업 피드백 형태>

9월 8 화
조회 | 댓글 0 | 파일 1

⋮

<내 이름 디자인전: 사이버전시회>

내 이름 디자인전에 많은 관심을 보여주신 어린이들과 학부모님께 정말 감사합니다.

올려주신 작품들로 전시실이 꽉 차서, 볼거리가 매우 풍부해졌답니다 ^^

OO유치원 친구들의 작품, 함께 감상해보실까요?

첨부파일 (1) ▾

내 이름
디자인展

나를 나타내는 이름,
디자인으로
다시 태어나다!

전시기간: ~친구들이 모두 등원하는 날까지

실시간 쌍방향 화상 수업

실시간 원격교육 플랫폼을 활용하여 교사와 유아 간 화상 수업을 실시하는 형태입니다. 부모가 맞벌이를 하여 가정보육이 어려운 아이들은 유아교육 기관에서 돌봄에 참여합니다. 오프라인으로 만날 수 있는 아이들과 온라인으로 만나야 하는 아이들을 모두 아우르는 '실시간 쌍방향 화상 수업'은 어려움이 많지만, 아이들과 실시간으로 만나 소통할 수 있다는 장점이 있습니다.

줌(ZOOM)은 교사와 유아들이 서로의 모습을 실시간으로 보며 수업을 진행할 수 있으며, 핸드폰이나 노트북 등을 활용하여 쉽게 참여할 수 있습니다. 다만, 실시간이다 보니 근무 중이라 자녀와 함께 원격수업에 참여할 수 없는 맞벌이 부부, 기계 조작이나 의사소통이 어려운 다문화 또는 조손 가정 등은 진행하기가 어려운 부분이 있습니다. 이런 경우에는 해당 유아가 긴급돌봄교실로 와서 교사와 함께 교실에서 진행하는 방법도 있습니다.

줌을 활용하면 교사가 아이들의 놀이하는 모습을 보며 즉각적인 피드백을 할 수 있을 뿐만 아니라, 영상 제작 및 편집을 하는 데 별도의 노력이 들지 않습니다.

줌 활용을 위한 기능 설명

수업 준비

가정에서는 휴대폰을 이용하여 줌 수업을 참여하면 되지만, 교사는 반 아이들의 전체 모습도 보고 화면을 공유해야 하므로 데스크톱 PC(스피커, 마이크, 웹캠 설치 확인) 또는 노트북을 사용하여 수업을 진행합니다. 노트북의 경우에는 카메라, 스피커, 마이크 등이 내장되어 있으므로 사용이 좀 더 편리합니다.

교사는 학부모에게 수업에 몰입할 수 있는 장소를 선정하도록 안내합니다. 커피숍이나 시끄러운 곳에서 수업을 들으면 자신이 하고 싶은 말을 하고자 음 소거를 해제했을 때 주변의 소리가 다 들어와서 모든 참여자가 수업에 집중하기 어렵습니다.

줌 사용법

- 프로그램 설치: 다음 링크로 들어가서 회의용 줌 클라이언트 프로그램을 다운로드받아 설치합니다. https://zoom.us/download#client_4meeting
- 줌 회원 가입: 설치 후 https://zoom.us/에서 회원가입을 합니다. 구글이나 페이스북 아이디로도 가입할 수 있습니다. 개인 계정의 경우에는 40분 무료 이용이 가능하지만 공직자통합 메일이나 학교 메일계정을 이용하면 무제한으로 수업을 할 수 있습니다.
- 예약 회의 만들기: 회의 예약을 클릭한 후 회의 주제, 시작 시간 및 기간, 비밀번호, 녹음 기능 등을 설정하여 예약을 합니다.

- 대기실 사용: 우리 반 아이가 맞는지 확인하고 수락할 수 있습니다. 만약 대기실을 클릭하지 않으면 아무나 자유롭게 들어와 있을 수 있습니다.
- 입장 시 참가자 음소거: 입장 시 다른 사람들의 소리로 인해 교사의 목소리가 전달되지 않아 수업 진행이 어려울 수 있으므로 참가자 전체 음소거를 해두는 것이 좋습니다.
- 회의 초대 안내하기: 회의 예약을 저장한 후 회의에 초대할 사람에게 보

낼 링크가 뜹니다. 그 링크를 복사하여 모바일 메신저나 문자 메시지 등
으로 안내하면 됩니다.

– 학부모 줌 참여: 학부모님은 교사가 보내준 아이디와 비밀번호를 누르고
줌에 들어와 아이와 함께 수업에 참여합니다.

• 회의 운영하기

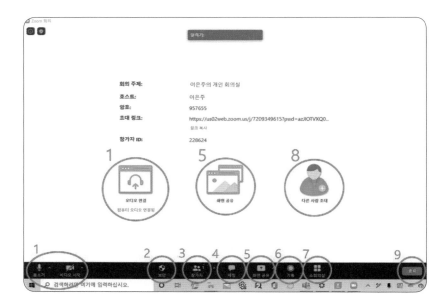

① 음소거 및 비디오 시작: 각자 마이크 및 카메라를 켜고 끌 수 있습니다.
비디오 시작을 누르면 교사의 얼굴 화면이 보입니다. 아이들에게도 아이
들의 모습을 볼 수 있도록 비디오 시작을 누르고 참여하도록 안내합니
다. 또 수업 중에는 교사의 목소리가 전체에게 잘 전달되도록 음소거 해
제를 클릭하여 소통할 수 있도록 합니다. 교사는 원활한 소통을 위해 전
체 음소거를 했는지 다시 한번 확인한 다음, 필요시 음소거 해제를 하고
말을 할 수 있도록 안내합니다.

② 보안: 회의실 잠금부터 채팅 화면 공유 등의 사용 여부를 선택할 수 있습

니다.

③ 참가자 관리: 현재 누가 들어와 있는지 알 수 있으며, 참가자를 수락 또는 퇴장하게 할 수 있습니다. 또한, 참가자의 모든 음 소거 및 해제를 관리할 수 있습니다

④ 채팅: 실시간으로 자유롭게 채팅할 수 있습니다. 자신의 의견을 표현하고 싶을 때나 많은 의견 수렴하기를 원할 때 사용합니다. 예를 들어, 수업 중 그림책을 듣고 느낀 점을 채팅창에 입력합니다. 이렇게 채팅창에 기록된 내용을 교사가 전체 복사해서 한글파일에 붙여 놓으면, 아이들 놀이에 대한 평가기록 자료로도 활용할 수 있습니다.

⑤ 화면 공유: 자신이나 다른 사람의 화면을 통해 PPT나 워드, 음악 등의 각종 자료, 화이트보드 등을 함께 볼 수 있습니다. 여러 사람이 화면을 공유할 수 있도록 하면 함께 작업을 할 수 있습니다. 예를 들면, 화이트보드의 경우 모든 아이가 빈 화면에 공동으로 그린 그림을 저장하고 공유할 수 있습니다.

⑥ 기록: 녹화 및 녹음이 가능합니다. 수업한 자료를 녹화 및 녹음을 해두면 학부모에게 공유하거나 평가 자료로 활용할 수 있습니다. 녹화와 녹음 기능은 영상 촬영 및 제작할 때도 요긴하게 사용할 수 있습니다.

⑦ 소회의실: 전체 회의 외에 소수 인원으로 구성하여 모둠별 활동을 할 수 있습니다. 자동 또는 수동으로 회의실을 몇 개를 만들 것인지 설정합니다. 자동 설정은 시스템에서 무작위로 배정되며, 수동 설정은 교사가 참가자를 지정하여 배정할 수 있습니다.

⑧ 다른 사람 초대: 다른 사람을 수업 중 초대하고 싶을 때 사용할 수 있습니다.

⑨ 종료: 수업이 다 끝나면 '모두에 대해 종료'를 눌러야 프로그램이 종료됩니다.

줌 수업은 부모와 아이가 함께 참여하여 실시간 쌍방향 소통을 할 수 있습니다. 놀이를 하는 모습을 교사는 실시간으로 살펴보며 즉각적인 피드백을 합니다. 부모도 화면에 나오는 다른 아이들의 놀이 모습을 볼 수 있으며, 아이들도 공동체 의식을 가지고 서로에게 긍정적인 피드백을 합니다.

수업 계획

대상 및 시기

- 적정인원 : 10명 내외
  - 10명 내외로 진행하면 아이들의 상황을 잘 이해하고 효율적으로 운영할 수 있습니다.
- 대상 : 유아 및 학부모
  - 아이 혼자 참여하기보다는 학부모님이 함께 참여하는 것이 더 효과적입니다. 부모는 아이의 특성을 좀 더 이해하고, 아이와의 놀이 방법을 배우는 기회가 됩니다.
- 수업 시간 : 단계적 시행, 40분 이내
  - 아이들의 특성상 오래 앉아 있는 것은 힘이 들고 어렵습니다. 단계적으로 수업을 운영하여 자연스럽게 줌 수업에 익숙해지도록 도와줍니다. 또한, 동적 활동과 정적 활동을 균형 있게 안배하여 다양하게 놀이할 수 있도록 합니다.

사전 안내 및 협조 사항

- 사전에 줌 이용 방법을 안내합니다.
  - 이용 방법을 사전에 숙지하면 수업이 원활하게 잘 이루어집니다.
  - 줌을 처음 사용하는 경우 수업 시작 전 미리 들어와 줌 사용 방법을 5분

<단계적 수업 시간 활용 예시>

단계	시간	내용	방법
1단계	5분	• 학급 전체 인사 나누기 - 내가 좋아하는 동물로 인사하기 등	단체 줌
2단계	10분	• 친구와 주말 지낸 이야기 나누기 • 내가 좋아하는 것 소개하기(음식, 장난감)	소그룹 줌 (소회의실 활용)
3단계	20분	• 그림책 들려주기 • 게임하기 - 친구야 선물 받아 - 지시어 게임 예) 안녕 - 얼굴 가리기, 다시 만나 - 얼굴 화면에 보이기 예) 음소거, 화면 보이기 제거했다 보여주기 게임 • 화면 공유 시, 화이트보드를 활용하여 그림 그리고 제목 만들기	단체와 소그룹 혼용
4단계	30분	• 소그룹 인사 나누기 • 명상 및 체조 • 그림책 들려주기 • 사후확장 놀이하기 • 친구들이 놀이하고 싶은 놀이 소개하고 실천해보기	단체와 소그룹 혼용

정도 연습해봅니다.

• 반드시 학부모가 함께 참여할 수 있도록 합니다.

- 음소거 해제, 채팅창 글쓰기 등은 아이가 혼자 하기가 어렵습니다. 예를 들어, 한 명의 아이가 말을 할 때, 전체 채팅창에 자신의 생각과 느낌을 글로 표현할 때 등은 부모가 도와주어야 하므로 학부모가 함께 참여하도록 안내합니다.

• 가정에서 지켜야 할 준비 사항을 안내합니다.

- 어쩔 수 없이 가정에서 수업을 하지만 부모님은 가정의 사생활이 노출되는 것에 대한 두려움이 있습니다. 아이가 혹시나 수업에 방해되거나 다

른 아이와 비교될까 봐 걱정하시는 분들도 있습니다. 쌍방향 수업은 부모와 협력해서 아이가 즐겁게 놀이에 참여하는 것이 목적이므로 편안하게 참여할 수 있도록 안내합니다.

가정통신문 예시

★ 부담 없이 편한 실내복과 편한 마음으로 참여할 수 있도록 도와주세요.

★ 정해진 수업 시간을 지켜주세요. 너무 일찍 들어오거나 늦지 않도록 시간을 지켜주세요.

★ 상대방의 입장을 고려하여 말하고 행동할 수 있도록 도와주세요.

★ 준비물은 책상 아래에 두거나 부모님이 가지고 계시다가 필요할 때 꺼내주세요.

★ 전체 음소거를 해두고 필요시 음소거 해제 버튼을 눌러주세요.

★ 하고 싶은 말이 있으면 채팅창을 활용해주세요.

★ 아이가 즐겁게 적응할 수 있도록 부모님의 적극적인 협조가 필요해요.

★ 아이가 실수를 하더라도 다른 친구와 비교하지 말고 용기를 낼 수 있도록 격려해주세요.

수업 진행

아이들은 가정에서 수업을 하다 보니 좀 더 편할 수도 있지만, 화면으로 보이는 자신의 모습이 신기해서 처음에는 들뜬 마음이 있는 아이도 있고, 줌 환경이 낯설고 어색하여 평소보다 자신의 생각이나 느낌을 표현하는 것에 불편함을 느끼는 아이도 있습니다. 따라서 아이들이 즐겁고 편하게 놀이할 수 있도록 돕고자 아래와 같이 수업 진행 방법을 안내합니다.

학급 전체 인사 나누기

인사는 서로에 대한 예의이자 존중하는 마음입니다. 오프라인에서는 등원하자마자 가벼운 스킨십을 하면서 인사를 나누며 아이들의 건강 및 마음 상태 등을 살펴볼 수 있습니다. 온라인에서는 스킨십을 할 수 없지만 눈빛 인사, 표정 인사, 몸짓 인사 등 아이들과 정서적 교감을 나누면서 아이들의 건강 및 마음 상태를 살펴봅니다. 아이는 선생님과 인사를 나누고 옆에 있는 부모나 화면 속 친구들과도 인사를 나눕니다.

- 친구들 한 명씩 이름 부를 때 다른 친구들은 같이 손 흔들기
- 이름 부를 때 내가 좋아하는 동물 흉내 내기
- 이름 부를 때 다른 친구들이 그 친구에게 사랑의 화살 쏘기
- 함께 있는 부모에게 사랑의 인사하기

몸털기 체조 및 명상

사회적 거리두기 기간이 길어지면서 가정에서만 머무는 상황이 많아졌습니다. 활동적인 아이들은 종일 뛰어다니지도 못해 답답합니다. 몸 털기 체조와 명상을 통해 몸과 마음을 건강하게 만들어봅니다.

- 몸털기 체조: 자리에서 일어나 음악을 들으며 자유롭게 몸을 털면서 5분 정도 움직여봅니다. 팔, 어깨, 겨드랑이, 가슴, 다리를 오징어가 된 것처럼 부드럽게 흔들어줍니다.
- 명상: 자리에 앉아서 숨을 깊게 들이마시고 내쉬면서 오늘 놀이를 어떻게 하면 좋을지 마음속으로 생각합니다.

아이의 성장을 돕는 긍정의 노래와 언어

아이들은 줌 수업이 좋을 수도 있지만, 잘해야 한다는 긴장감이 생길 수도 있습니다, 아이들이 편하고 행복하게 수업에 참여할 수 있도록 '괜찮아' 노래를 부른 다음, 다 함께 긍정의 언어를 말로 합니다.

<긍정의 노래>
실수해도 괜찮아 틀려도 괜찮아
다시 하면 되지 뭐 모두가 소중해

<긍정의 언어>
나는 소중합니다. 우리 가족과 친구들도 소중합니다.
우리는 모두 소중한 사람입니다.
나는 나를 사랑합니다. 우리 가족과 친구들도 사랑합니다.
우리는 모두 사랑을 받고 사랑을 줄 수 있는 소중한 사람입니다,
오늘도 감사합니다.
소중하고 사랑하는 여러분 덕분에 오늘도 감사합니다.

긍정의 노래는 '모두 다 꽃이야' 노래를 개사하여 함께 부릅니다. 누구나 실수할 수 있다는 것을 인정하고 존중하는 마음을 가지게 됩니다. 긍정의 언어를 말로 하면서 내용에 맞게 손동작을 합니다. 긍정의 언어를 통해 자신과 주변을 더 사랑하고 긍정적인 마음을 가지게 됩니다.

수업 도입

수업 도입은 아이들이 놀이를 더 즐겁고 재미있게 만들어주는 동기가 됩니다. 도입에서 흥미와 호기심이 생기면 더 적극적으로 참여할 수 있습니다. 예를 들어, 감정 관련된 놀이를 할 경우 감정 노래를 부른 다음 자신이 화가 난 일, 속상했던 일 등을 이야기해봅니다. 부모도 자신의 화가 난 일, 속상한 일을 이야기해봅니다. 아이들이 하는 이야기를 듣고 나서 부모가 느낀 감정에 대해 이야기해본 다음 채팅창에 적습니다. 채팅창의 내용을 교사가 읽으며 아이들에게 알려줍니다.

전개

도입 후 아이들과 수업을 진행합니다. 예를 들어 '소피가 화나면 정말 정말 화나면' 그림책을 교사가 들려준 다음, 그림책을 읽고 난 느낌을 유아가 말을 합니다. 부모가 아이와 함께 그림책과 관련된 놀이 계획을 세웁니다. 놀이 계획을 채팅창에서 서로 공유할 수 있도록 안내합니다. 교사는 아이들이 놀이하는 모습을 지켜보며 피드백을 합니다. "현우야 지금 무엇을 만들고 있는지 이야기해줄 수 있겠니? 네가 만든 감정 카드가 너무 멋지다!"

다양한 전개 방법 팁
• 소회의실을 활용해서 놀이 방법 의논해서 함께 놀이 구상하기
• 화이트보드를 활용하여 협동 그림 그리기

마무리

아이들이 놀이한 것을 화면에 공유하여 함께 살펴봅니다. 아이가 놀이한 결과물을 소개하면 나머지 친구들이 채팅창에 격려의 말을 합니다. 마무리할 때는 주의 집중 손유희 등을 활용하여 집중이 되었을 때 오늘 느낀 점을 몸이나 표정으로 다 함께 표현한 후 마무리할 수 있습니다.

놀이 결과 활용 및 기록

줌에서 놀이를 기록할 수 있는 가장 좋은 방법은 녹화 기능입니다. 아이들과 수업한 영상을 살펴보며 동료장학 자료로 활용할 수 있습니다. 채팅창에 기록한 내용은 회의를 종료하기 전에 전체 내용을 한글 파일에 붙입니다. 이 자료들과 놀이하면서 아이들이 올려준 사진 등을 정리해두면 소중한 자료가 됩니다.

줌 이용의 불편함

부모가 화면에 나오고 채팅창에 참여도 하므로, 매번 학부모 참여 수업을 하는 것 같아 큰 부담이 됩니다. 오프라인에서 30분 수업 진행과는 비교도 안 될 만큼 피곤하고 지칩니다. 또한, 부모도 사생활이 노출되거나 형제들이 있는 경우 동생이 갑자기 울면 우는 아이를 먼저 챙겨야 하는 상황들로 인해 수업에 집중하기 어려워 교사에게 미안해하기도 합니다.

교사는 교사대로, 부모는 부모 나름의 여러 가지 불편한 부분이 있습니다. 하지만 교사와 부모가 서로 불편함을 이해하고 수용한다면, 아이들이 온라인 수업에 더 적극적으로 참여할 수 있도록 도울 수 있습니다.

주의 집중할 수 있는 운영 팁 5가지

온라인 수업에 집중을 잘하지 못하는 것은 아이의 특성, 기질, 환경 등 다양한 요인이 있을 수 있습니다. 조작하고 싶은 것도 많아 들떠있는 아이들, 소심하거나 부끄러움이 많아 화면을 바라보기 어려운 아이들도 있을 수 있습니다. 교사의 입장에서는 아이들이 집중하지 않으면 자신의 역량의 문제인 것 같아 고민이 되고, 학부모 입장에서는 다른 아이와 비교되니까 신경이 쓰이기도 합니다. 이를 해결하기 위해 주의 집중할 수 있는 5가지 팁을 안내합니다.

1. 준비물은 책상 아래 두거나 부모님이 가지고 계시다가 필요할 때 꺼내도록 합니다.

아이들은 준비물을 가지고 있으면 눈에 보이는 놀이부터 하려고 합니다. 수업을 원활하게 진행하기 위해서 놀이에 필요한 준비물을 책상 아래 두거나 부모가 가지고 있을 수 있도록 안내합니다.

2. 전체 음소거를 해두고 필요할 때 아이들의 말을 들을 수 있도록 합니다.

유아의 동생이 갑자기 소리를 지르며 운다거나 TV 소리 등 가정생활에서 일어나는 다양한 소리가 있습니다. 음소거를 하지 않으면 이런 소리가 아이들 전체에게 들려서 교사의 말이 들리지 않을 수 있습니다. 그러므로 소음이 전체에게 들려지지 않도록 음소거가 되어있는지 부모가 확인할 수 있도록 안내합니다.

3. 학급 관리를 할 수 있는 전체 온라인 채팅방을 만들어 수업에 불편 사항을 지원합니다.

온라인 채팅방에서 줌 사용법, 수업 진행 방법, 사후 놀이 결과 등을 공유하면 교사와 부모가 도움을 주고받을 수 있습니다.

4. 스토리보드를 짜서 미리 부모님께 진행순서를 안내합니다.

부모는 가정에서 아이가 즐겁게 놀이할 수 있도록 지원해주는 역할을 합니다. 따라서 유치원에서는 교사가 진행할 수업을 PPT로 만들어서 부모에게 미리 안내합니다. 부모는 미리 수업 계획을 보면서 아이가 더 즐겁게 놀이할 수 있도록 도와줄 수 있습니다, 하지만 놀이를 진행하다 보면 아이들의 상황에 따라 바뀔 수 있으므로 교사가 계획한 순서대로 진행되지 못할 수 있음을 사전에 안내합니다.

5. 손유희, 차임벨, 박수 등 시각과 청각을 활용합니다.

시작하기 전 시작 시간을 미리 공지하고 아이들의 상황을 살펴본 후, 차임벨이나 싱잉볼을 활용하여 집중할 수도 있고, 주의집중 손유희, 박수치기 등의 방법을 활용할 수 있습니다.

Q&A로 풀어보는 줌 고민 해결

Q. 1학급 병설유치원인데 긴급 돌봄으로 오는 아이들과 가정에 있는 아이들이 함께하려면 어떻게 해야 할까요?

긴급돌봄으로 오는 친구들과 가정에 있는 친구들이 함께 대화하면서 진행하는 '블렌디드 수업'을 할 수 있습니다. 휴대전화나 노트북 등의 카메라를 활용하여 1개는 교사, 1개는 교실에 있는 아이들의 모습을 비춰주면 교사뿐 아니라 가정에 있는 유아들과 교실에 있는 유아들이 동시에 소통할 수 있습니다.

처음에는 아이들도 적응하는 데 시간이 걸리므로 서로 5분 정도 인사하는 시간만 가져보도록 합니다. 좀 더 익숙해지면 그림책을 읽어주거나 활동하고 싶은 것을 한 가지 소개하고 그것으로 함께 놀이하면서 피드백해주는 방식으로 할 수 있습니다. 또는 같은 수업을 돌봄 따로, 온라인으로 따로 할 수 있습니다.

Q. 아이들이 집중하지 않아서 수업을 진행하기가 힘들었는데, 학부모님이 옆 반 선생님과 비교하시면서 맘카페에 글을 올리셔서 속상해요.

아이들의 발달 특성, 흥미, 기질 등에 따라 집중 및 놀이는 다양할 수 있습니다. 특히 처음에는 낯설고 어색하기 때문에 적응하는 데 시간이 걸립니다. 사전에 학부모님께 공지하여 협조 안내문을 보내는 것이 필요합니다. 또한, 아이가 집중하지 않는다고 한 명의 아이에게만 신경 쓰면 수업 진행이 어려울 수 있으므로, 그런 부분은 학부모님께 사전에 협조를 부탁합니다. 아이가 지속적으로 집중을 하지 못하면 학부모님도 다른 아이들과 학부모님들께 방해가 되는 것 같아 미안한 마음이 많을 것입니다. 개별적으로 상담 전화를 하여 부모의 마음을 이해하고 공감하며 함께 해결 방법을 모색해봅니다. 또한, 아이가 적응하는 데 시간이 걸릴 수 있으니 음소거만 해두고 적응할 수 있도록 기다려달라고 안내해드립니다.

Q. 잘 표현하지 않는 아이는 어떻게 하면 좋을까요?

소심한 아이들은 자신의 생각을 표현하는 것이 두려울 수 있습니다. 부모는 아이와 함께 자신의 생각을 이야기 나눠본 다음, 채팅방을 활용하여 부모가 직접 글로 적어주거나 그림으로 표현할 수 있도록 합니다.

Q. 적극적으로 참여하지 않는 부모는 어떻게 해야 할까요?

부모도 가정에서 집안일, 보육 등 해야 할 일이 많아 적극적으로 참여하기 어려울 수 있으며, 온라인이 부담스러운 분들도 있을 것입니다. 부모의 상황이 어떤지 전화 상담을 통하여 알아본 후, 아이와 함께 적극적으로 참여할 수 있는 방법들을 구체적이고 단계적으로 안내합니다.

온라인 수업! 이런 점이 어려워요

저도 할 말이 있어요 – 교사
해보지 않은 것이라 낯설고 두려워!

온라인 운영이라는 말 자체가 낯설고 비대면 수업을 해보지 않아서 온라인 수업이라는 새로운 것에 두려움이 먼저 다가온다. 또한, 아직 뚜렷한 기준이 없고 유아교육 기관마다 알아서 해야 한다는 사실에 막막함이 크다.

내 얼굴이 공개된다고? 정말 부담돼!

교사 얼굴이 공개되어 유치원에 등원하지 못하고 가정에 있는 유아들과 유대감을 형성하는 데 도움이 된다는 장점은 있다. 다만 미디어의 공유가 빠른 현대사회에서 교사의 얼굴이 공개되다 보니 개인 정보 보호 문제로 부담감이 크다.

다른 유아교육 기관과 비교당하는 건 싫어!

온라인으로 각 유아교육 기관의 활동이 드러나다 보니 학부모들끼리 정보를 공유하고 비교하면서 유아교육 기관에 대한 불만이 하나둘씩 생기게 된다. "저기는 유튜브 영상을 링크했어", "여기는 영상을 다 직접 만들었대", "우리는 이런 놀이꾸러미를 보내줬어" 등 여러 가지 이야기를 듣게 되면서 예전보다 더 신경 써야 하는 어려움이 있다.

놀이꾸러미 준비가 힘들어!

시중에 팔고 있는 놀이꾸러미를 구매하여 가정으로 발송하는 편한 방법이 있다. 그러나 기관의 특색을 살리고, 아이의 특성을 고려하여 직접 놀이 꾸러미를 준비하는 경우에는 교사의 손길이 더 많이 필요하다. 놀이꾸러미를 포장하고, 놀이 방법을 소개하고, 교육적 효과에 대해 안내하는 것도 어렵다. 또한, 놀이꾸러미를 우편으로 발송하는 비용에 대한 부담도 있다.

나만 소통하는 것 같아! 부모님의 협조가 필요해!

온라인 수업을 안내하고 자료를 제공했으나 부모님의 피드백이 없으면 유아들이 온라인 수업을 잘하고 있는지 알 수가 없다. '클래스팅', '학교종이', '키즈노트' 등의 앱을 통해 온라인 수업을 안내해도 부모님들의 반응이 없으면 온라인 수업의 효과가 있는지 알 수가 없고, 온라인 자료를 제공하는 유아교육 기관 측에서는 온라인 수업자료를 어느 정도까지 제공해야 하는지 고민이 생기게 된다.

저도 할 말이 있어요 – 학부모

온라인 수업은 수업이 아니야!

내 자녀의 인성, 사회성, 인지 능력 등의 향상을 기대하고 학부모는 유치원에 유아를 보낸다. 그러나 온라인 수업은 가정에서 주로 이루어짐으로 수업이 아니라고 인식하게 된다. 그러다 보니 온라인 수업을 준비하는 교사는 교사 나름대로 업무가 과중 되고 학부모 입장에서는 내가 왜 집에서 이걸 해야 하는지 불만이 생기게 된다.

숙제가 되는 온라인 수업!

시간 맞춰 온라인 수업을 해야 하고, 그 결과를 앱에 남기는 등의 과정이 학부모에게는 숙제가 되기도 한다. 특히 맞벌이 가정의 학부모는 일하는 중간에 '내 아이만 못하고 있는 거 아니야?' 라는 걱정이 생기고, 퇴근하고 나서 아이의 온라인 수업까지 챙겨야 하는 부모들은 숙제에 대한 부담으로 다가온다.

저도 할 말이 있어요 – 아이

휴대폰 보니까 좋아요

아이들에게 '게임 많이 하지 말자', '휴대폰은 안 돼'라고 말하며 휴대폰 사용을 자제하거나 사용 시간을 정하기도 한다. 물론, 온라인 수업을 할 때만 사용하게 하는 건 학부모의 재량이겠지만, 미디어의 편리함과 즐거움을 접한 아이에게 미디어는 새로운 놀잇감이 되어 버린다.

나는 온라인 참여하기가 어려워요

조손가정의 아이, 맞벌이 가정의 아이, 다문화 가정의 아이 등 온라인 수업에 참여하기가 어려운 환경에 있는 아이들이 있다. 이런 아이들에게는 주변의 도움이 더 필요하다. 소외되는 아이가 없도록 기관은 더 신경 쓰고 관리해야 된다.

엄마, 아빠도 선생님!
집 놀이 유치원

코로나19로 인해 유아들이 가정에 있는 시간이 많아지면서 스마트폰이나 게임기 등으로 게임하는 시간이 더 증가되어 게임 중독에 빠진 아이가 많다고 합니다. 마음껏 놀고 싶어도 놀 줄 몰라서 놀이하지 못하는 아이들. 이제 우리 아이들에게 '놀이'를 돌려줘야 합니다.

비록 현실은 바깥에서 자유롭게 놀기 어렵지만, 집안에서라도 더 재밌고 즐거운 놀이가 넘쳐나 아이들의 삶에 큰 힘이 되길 바라는 마음으로, 가정에서 할 수 있는 놀이를 소개합니다. 가족이 함께 놀이를 한다는 자체만으로도 더 많이 웃고, 더 많이 즐거워하며, 더 많이 행복할 수 있습니다.

아이들이 가족과 함께 집에서 다양한 놀이를 경험해볼 수 있도록 근사하지 않아도 집에 있는 것들을 활용해서 '우리 집 키즈 카페'를 만들어보면 어떨까요?

※ 다음에 소개하는 놀이는 가정에서 가족과 함께 한 놀이이므로 마스크를 착용하지 않았습니다.

우리 가족 북 카페

집에 있는 여러 책 중에서 내가 좋아하는 책, 우리 가족에게 소개하고 싶은 책, 궁금한 책 등을 골라 북 카페를 꾸며 봅니다. 북 카페에 필요한 것을 의논하고 만들어보면서 문제를 해결하는 방법을 경험하게 됩니다. 또한, 집에 있는 책에 관심을 갖고 더 친숙해질 수 있으며, 어른들과 내가 보는 책이 다르다는 것을 알게 됩니다. 책으로 의자, 책상, 다리, 집 만들기 등 다양한 구성놀이를 할 수 있습니다.

준비물 가정에 있는 여러 종류의 책, 책을 올려놓을 수 있는 상자나 탁자, 종이, 색연필, 의자 및 쿠션 등

어떻게 놀이할까?

① 우리 집에 어떤 책이 있는지 살펴본다.
② 놀이할 장소(거실이나 방)를 정한 다음 몇 권의 책을 꺼낼지, 책을 어디에 놓을지 등을 함께 의논한다.
③ 의논한 내용을 바탕으로 북 카페 설계도를 그려본다.
④ 설계도를 보면서 북 카페를 만든다.
⑤ 엄마(아빠)와 함께 북 카페 놀이를 한다.
　– 작은 도서관
　　• 책을 읽기 전에 다른 사람에게 방해가 되지 않도록 조용히 책을 볼 수 있도록 사전에 약속을 정한다.
　　• 책을 읽거나 보는 시간이 사람마다 다르므로 각자 자유롭게 읽고 다른 놀이를 선택할지, 시간을 정해서 책을 읽은 후 가족이 함께 다음 놀이로 이동할지 의논해본다.
　　• 내가 원하는 책을 골라 의자나 쿠션에 앉아 편하게 읽는다.

   – 재미있는 책 놀이!

- 책으로 구성놀이를 하기 전에 책에게 해주고 싶은 말을 해본다.
  "책아! 오늘은 너와 함께 놀고 싶어. 내가 오늘 조심히 사용할게."
- 놀이를 할 때 어떤 행동이 위험할지 생각해본 후, 위험한 행동에 필요한 신호를 적어본다.
  · 책을 자신의 키보다 높게 쌓을 때: 박수를 두 번 친 후, 손을 위에서 아래로 내리기
  · 책을 던지려고 할 때: 손을 위로 올린 후, 두 팔로 X자 표시하기
- 책을 활용하여 다양한 구성물을 만들어본다.

   – 책을 내 키만큼 쌓아 건물 만들기, 책을 옆으로 놓아 다리 만들기, 여러 책을 세우고 눕혀서 책상 만들기 등

   – 나도 화가!

- 책을 본 다음 등장인물 그리기, 가장 기억에 남는 장면 그리기 등 자신의 생각이나 느낌을 그림으로 표현해본다.
- 내가 그린 그림을 가족에게 소개한다.

⑥ 북 카페 놀이가 끝나면 역할을 정해 정리한다. '북 카페 정리 담당자'를 정한 후 각자 맡은 것을 정리하면 빨리 정리할 수 있다. 이외에도 정리도 놀이가 될 수 있도록 팀을 나누어 시간 내에 정리하기, 음악을 들으면서 정리하기, 릴레이로 정리하기 등 다양한 방법으로 정리해본다.

순	물건	담당자	확인
1	책	엄마	
2	색연필	아이	
3	의자	아빠	
4			

북 카페 설계도를 그려요

북 카페를 만들어요

작은 도서관에서 책을 읽어요!

책으로 재미있는 놀이를 해요!

화가가 되서 책속 주인공을 그려요!

정리 놀이를 해요!

※ '좋아해! 놀이 토크'는 가정에서 부모와 아이가 놀이 후 평가한 것을 그대로 기록했습니다.

1. 좋았던 점

　엄마: 책으로 다양한 활동을 할 수 있어서 좋았어요.

　아이: 책으로 놀이를 해서 재밌었고, 책 읽고 그림 그리는 것이 좋았어요.

2. 아쉬웠던 점

　엄마: 전부터 이런 시간이 많았으면 좋았을 것 같다는 아쉬움이 들었어요.

　아이: 재밌는 책 놀이를 오래오래 하고 싶었는데 아쉬웠어요.

3. 해보고 싶은 점

　엄마: 책을 읽고 나서 아이와 토론도 해보고 싶어요.

　아이: 책으로 진짜 놀이터를 만들어보고 싶어요.

패션 디자이너 놀이

　마음에 드는 옷이 있거나 새 옷을 샀을 때 어떤 아이들은 하루에도 여러 번 다른 옷을 입어 보기도 하고, 계절에 맞지 않는 옷이라도 입고 싶으면 무조건 입으려고 떼를 쓰는 경우도 있습니다.

　다양한 옷차림에 관심이 많은 아이들이 마음껏 입어보고 꾸며볼 수 있도록 디자이너 놀이를 해봅시다. 디자이너가 되어 나와 엄마, 아빠를 자유롭게 꾸며보면서 아름다움을 표현하는 것의 즐거움, 나만의 방법으로 표현하는 것의 즐거움을 느낄 것입니다.

준비물　바구니, 옷, 여러 가지 소품(모자, 선글라스, 머플러 등) 등

어떻게 놀이할까?

① '디자이너'는 어떤 일을 하는지 이야기 나눠본다.

② 내가 만약 디자이너가 된다면 무엇을 하고 싶은지 말해본다.

③ 디자이너가 되어 자신이 입고 싶은 옷이나 소품을 활용하여 자유롭게 자신을 꾸며본다.

④ 아이는 엄마(아빠)를, 엄마(아빠)는 아이를 어떤 옷이나 물건으로 꾸밀지 정한 다음, 각자 바구니를 들고 꾸밀 물건을 담는다.

⑤ 누가 먼저 디자이너가 되어 상대방을 꾸밀지 순서를 정한 다음, 음악에 맞춰 꾸며본다.

⑥ 디자이너가 되어 옷이나 소품으로 상대방을 꾸며준 후, 경쾌한 음악에 맞춰 패션쇼를 한다. 이때 패션쇼 하는 모습을 영상이나 사진으로 찍어본다.

디자이너가 되어 나를 꾸며요

내가 엄마를 꾸며드려요

엄마가 나를 꾸며줘요

신나는 패션쇼 놀이

좋아해! 놀이 토크

1. 좋았던 점

　엄마: 패션 디자이너, 모델과 같은 직업에 대해 이야기 나누어보고, 다양한 패션 소품을 스스로 찾아보니 아이가 매우 흥미로워했어요.

　아이: 엄마를 예쁘게 꾸며 주니까 좋았어요.

2. 아쉬웠던 점

　엄마: 기존에 있던 옷과 소품으로만 패션쇼를 하니 새로운 스타일 연출이 힘들었어요.

　아이: 모델이 여러 명 있었으면 더 재미있을 것 같아요. 친구들과 함께하고 싶어요.

3. 해보고 싶은 점

　엄마: 옷이나 액세서리를 직접 만들어서 패션쇼를 해보고 싶어요.

　아이: 무대가 멋있는 장소에서 오래 많이 하고 싶어요.

글자 놀이 카페

　무엇인가 발견하면서 의미를 찾아가는 아이들에겐 글자도 하나의 놀잇감입니다. 따라서 이 시기 아이들에게 다양한 글자놀이를 경험할 수 있도록 도와준다면, 아이 스스로 글자에 관심을 갖게 되면서 이리저리 궁리하며 다양한 글자를 만들거나 찾아볼 것입니다. 또한, 여러 글자를 자신의 신체를 이용하여 만들어보면서 글자에 친숙해질 뿐만 아니라 글자 놀이에 대한 즐거움을 더 느끼게 됩니다.

글자 만들기 뷔페

준비물 종이컵, 블록, 빨대 등 글자 만들기에 필요한 자료, 자음 카드

어떻게 놀이할까?

① 여러 자음을 종이에 프린트하거나 손으로 써서 준비한다.

② 종이컵, 블록, 빨대 등 글자 만들기에 필요한 물건을 각각 바구니에 담아 준비한다.

③ 준비한 자음 카드를 바닥에 펼쳐 놓는다.

④ 여러 자음 카드를 보면서 내가 만들고 싶은 자음을 골라 글자 만드는 장소

글자 카드를 준비해요!

여러 가지 재료를 바구니에 담아요!

글자 카드를 펼쳐 봐요!

내가 원하는 재료로 글자를 만들어요!

로 가지고 온 후, 여러 가지 재료 중에 원하는 재료를 선택하여 글자를 만들
어 본다.

⑤ 어떤 글자를 만들었는지 말해본다.

재미 쑥쑥! 건강 쑥쑥! 글자 몸 놀이

준비물 자음 카드

어떻게 놀이할까?

① 엄마(아빠)와 함께 자음 카드를 보면서 어떤 글자가 있는지 말해본다.

"ㄱ은 어디 있나?"

"ㄷ은 어디 있나?"

"이 글자의 이름을 모르겠어! 어떤 글자일까?"

② '나처럼 해봐요!' 노래에 맞춰 글자를 만들어본다.

- 누가 먼저 '나처럼 해봐요!' 노래를 부를지 순서를 정한다
- "나처럼 해봐요! 이렇게!" "나처럼 해봐요! 이렇게!" 노래를 부른 후, 자신이 만들고 싶은 글자를 말하면서 몸으로 글자를 만들어본다. 다른 사람들은 그대로 따라 해본다.
- 순서를 바꾸어서 해본다.

③ 여러 자음 카드를 보면서 가족과 함께 의논하여 우리 몸의 부분이나 전체로 글자를 만들어본다.

④ 가족이 함께 만든 '글자 몸 놀이 체조'를 해본다. 아이들이 자신의 몸으로 글자 만들기에 흥미를 보이면, 다양한 방법으로 글자를 만들어볼 수 있도록 격려한다.

※ 글자 몸 놀이 체조 예시

"짝짝짝! 짝짝짝! 허리를 숙이고 양팔을 쭉 펴서 'ㄱ'을 만들자 짝짝짝!"

"두 팔을 위로 짝짝짝! 한 팔은 위로, 한 팔은 옆으로 'ㄴ'을 만들자 짝짝짝!"

"자리에 앉아서 다리를 쭉 뻗고 짝짝짝! 두 팔을 앞으로 머리를 숙여서 'ㄷ'을 만들자 짝짝짝!"

"두 팔을 앞으로 짝짝짝! 두 팔을 쭉 펴서 네모를 만들어 'ㅁ'을 만들자 흔들흔들!"

"두 팔을 앞으로 짝짝짝! 양 손끝을 동그랗게 만들어 'ㅇ'을 만들자. 제자리에서 빙글빙글!"

※ 글자 몸 놀이 체조를 재밌게 하는 방법

· 한 번에 다 하기보다 오늘은 어떤 글자를 몸으로 표현해볼지 서로 의논하여 정한다.

· 음악에 맞춰 서로 마주 보면서 해본다.

· 아이들이 '글자 몸 놀이 체조'에 관심을 가지면 매일 시간을 정해서 놀이해본다.

어떤 자음 카드가 있을까?

나처럼 해봐요! 'ㄱ'

'ㄴ'을 만들어요

'ㅁ'을 만들어요

'ㅇ'을 만들어요

'ㅅ'을 만들어요

즐거운 글자 도구 카페

준비물 자음 카드, 여러 가지 재료(블록, 신문지 막대, 종이컵, 단추 등)

어떻게 놀이할까? 1 - 글자 따라가자!

① 가족과 함께 어떤 글자를 만들지 의논하여 신문지 막대나 블록으로 만들고 싶은 글자를 바닥에 크게 만들어본다.

② 음악에 맞춰 글자를 따라 다양한 걷기와 뛰기를 해본다.(선 따라 걷기, 양팔 벌려 걷기, 한 발로 뛰기, 토끼처럼 뛰기 등)

어떻게 놀이할까? 2 - 글자를 완성하라!

① 엄마(아빠)와 아이가 각자 같은 자음 카드를 나누어 갖는다.

② 블록, 단추, 종이컵 등 여러 재료 중에 어떤 재료를 자음 카드 위에 올려놓을지 선택한다.

재료로 바닥에 자음을 만들어요!

두 손을 허리에 놓고 자음 따라 걸어요!

양팔 벌려 자음 따라 걸어요!

엄마와 함께 자음 놀이를 해요!

③ 가위바위보를 하여 이긴 사람이 자음 카드 위에 재료 한 개를 올려놓는다.

④ 먼저 자음 카드 위에 재료를 다 올려놓으면 '완성!'이라고 외친다.

좋아해! 놀이 토크

1. 좋았던 점

    엄마: 아이가 몸놀이를 하면서 글자의 형태를 더 잘 기억하고, 글자에 관심
    을 가지게 되었어요.

    아이: 글자를 만들어보니까 다른 글자도 만들 수 있어요.

2. 아쉬웠던 점

    엄마: 가족이 다 같이 협동하여 글자를 만들면 더 재미있을 것 같아요.

    아이: 여러 가지 물건을 합쳐서 글자를 만들어보고 싶어요.

3. 해보고 싶은 점

    엄마: 블록을 세워서 글자를 입체적으로 만들어보고 싶어요.

    아이: 블록으로 만든 글자 위를 걸어보고 싶어요.

푹신푹신 베개 카페

아이들에게 베개는 좋은 친구입니다. 베개는 인형이나 아기, 침대, 책상 등 아이가 상상하는 대로 뚝딱뚝딱 변신하는 놀잇감입니다. 이렇듯 베개 하나만 있어도 뭐든 놀이할 수 있지요! 아이들에게 상상의 나래를 선사하는 베개로 재미있게 놀아볼까요?

베개 연못

준비물　베개, 색종이나 하드 막대와 같은 평평하고 두께가 얇은 종이나 물건
※ 베개 밑에 숨길 물건이나 종이는 평평하고 두께가 얇은 것을 골라 베개 밑
　에 숨겨도 잘 보이지 않는 것으로 선택한다.

어떻게 놀이할까?

① 베개 4~5개를 동그랗게 연결하여 연못 모양으로 만든다.

② 종이(물건)를 찾을 수 있는 기회를 몇 번으로 할지 정한다.

③ 아이가 눈을 감고 있는 동안 엄마(아빠)는 노래를 부르면서 종이나 물건을
　베개 밑에 숨긴다. (노래: 꼭꼭 숨겨라 베개 밑에 숨겨라! 꼭꼭 숨겨라! 종이(물건) 1개 숨
　겨라!)

③ 아이는 노래를 부르면서 베개를 하나 뒤집어 종이(물건)를 찾는다. 베개를
　뒤집어서 종이(물건)가 나오면 "찾았다!" 하고 외친다. (노래: 꼭꼭 찾아라! 베개
　연못에서 찾아라! 꼭꼭 찾아라! 빨리빨리 찾아라!)

④ 엄마(아빠)와 아이가 순서를 바꾸어서 놀이해본다.

⑤ 베개 밑에 또 어떤 것을 숨기고 싶은지 이야기하여 다양한 것들을 숨겨보
　고 찾아본다.

책을 숨겨요!

숨겨진 책을 찾아요!

책을 찾았어요!

베개 드럼

준비물 베게

어떻게 놀이할까?

① 베개를 하나씩 갖고 앉는다.

② 어떤 노래를 부를지 정한다.

③ 노래를 부르면서 손으로 베개를 치며 연주해본다. (양 손바닥으로 치기, 손가락으로 치기, 주먹 쥐고 약하게 치기, 손끝으로 치기, 한 손으로 치기, 양손을 번갈아 가며 치기 등)

손가락으로 연주해요!

주먹으로 연주해요!

화를 날려라! 베개 샌드백!

준비물 베게, 음악

어떻게 놀이할까?

① 베개를 하나씩 갖고 앉는다.

② 엄마(아빠)와 아이 중 누가 먼저 말할지 순서를 정한다.

③ 돌아가면서 화가 나거나 기분 나쁠 때는 언제인지 말해본다.

④ 간단한 동요 음악에 맞춰 마음껏 두드려 본다.

내가 화가 날 때는?   엄마랑 베개 샌드백 치기

좋아해! 놀이 토크

1. 좋았던 점

   엄마: 재료를 구매하지 않고 집에 있는 것으로 놀이할 수 있어서 좋았어요.

   아이: 내 마음대로 치면서 놀 수 있어서 좋았어요.

2. 아쉬웠던 점

   엄마: 종류나 크기, 재질이 다양했다면 아이가 좀 더 다양한 경험을 할 수 있

        었을 텐데 하는 아쉬움이 있었어요.

   아이: 동생이나 친구랑 같이하고 싶어요.

3. 해보고 싶은 점

   엄마: 좀 더 다양한 베개를 이용해 촉감놀이를 해보고 싶어요.

   아이: 숫자만큼 쳐보기, 숫자 모양 만들기를 해보고 싶어요.

요리조리 재미있는 몸 놀이

아이들은 끊임없이 몸을 움직이면서 자신의 몸을 자유롭게 움직일 수 있다는 것과 몸의 각 부분이 하는 일을 알게 됩니다. 또한 자신이 경험한 것, 상상한 것을 몸으로 표현해보면서 몸 놀이의 즐거움을 느끼며, 자신만의 독창적인 움직임을 표현할 수 있습니다. 몸 놀이는 성장기에 꼭 필요한 놀이이며, 다양한 감정을 해소하고 조절하는 데 많은 도움이 됩니다.

마음대로 슛!

준비물 종이

어떻게 놀이할까?

① 종이를 구겨서 동그랗게 공을 만든다.

② 바닥에 바구니를 놓고 거리를 두어 엄마(아빠)와 아이가 나란히 앉는다.

③ 공을 던지는 순서를 정한다.

④ 순서대로 공을 던져 바구니 안에 넣는다.

  ※ 공 넣는 방법 예시

- 손으로 종이공을 던져서 바구니에 넣는다.

- 종이공을 손등에 올려서 바구니에 넣는다.

- 검지와 중지 손가로 종이공을 집어서 바구니에 넣는다.

- 두 발로 종이공을 집어서 바구니에 넣는다.

- 내가 생각한 방법대로 바구니에 넣어본다.

| 손으로 공을 넣어요! | 손 등으로 공을 넣어요! | 두 발로 공을 넣어요! |

스카프(손수건)는 요술쟁이

준비물 스카프 또는 손수건

어떻게 놀이할까?

① 엄마(아빠)와 아이가 스카프(손수건)를 하나씩 나누어 갖는다.

② 스카프(손수건)를 사용하여 다양한 몸 놀이를 해본다.

- 앉아서 스카프(손수건) 꼬리잡기
  - 스카프(손수건)를 옷(허리띠, 소매, 바지 등)에 걸어 꼬리를 만든 다음, 앉아서 엉덩이로 이동하여 꼬리잡기 놀이를 한다.
- 스카프(손수건) 숫자 까꿍 놀이
  - 누가 까꿍을 할지 정한 다음, 까꿍을 하는 사람은 스카프(손수건)로 얼굴을 가리고 앉는다.
  - 상대방이 숫자를 말하면 그 숫자만큼 까꿍을 외친다.
- 스카프(손수건) 표정 까꿍 놀이
  - 누가 까꿍을 할지 정한 다음, 까꿍을 하는 사람은 스카프(손수건)로 얼

굴을 가리고 앉는다.

– 상대방이 감정 단어(놀라다, 화난다, 슬프다, 웃는다 등)를 말하면, 까꿍 하고 내리면서 상대방이 말한 단어에 맞게 표정을 짓는다.

– 가족과 함께 의논하여 다양한 방법으로 까꿍 놀이를 해본다.(상대방의 표정 따라 하기, 까꿍까꿍 위/아래/왼쪽/오른쪽 방향놀이 등

꼬리잡기 놀이를 해요!

표정 까꿍 놀이를 해요!

요기조기 마주 대기

준비물 음악

어떻게 놀이할까?

① '머리 어깨 무릎 발' 노래를 함께 불러본다.

② 엄마와 함께 마주 댈 수 있는 신체 부분과 마주 댈 수 없는 신체 부분을 알아본다.

※ 신체 부분 마주 대기

– 엄마(아이)가 박수를 한 번 친 다음, '무릎과 무릎' 처럼 신체 부분을 말

한다.
- 아이(엄마)는 엄마(아이)의 무릎과 자신의 무릎을 서로 마주 대어본다.
- 예: 무릎과 무릎 / 발과 발 / 손과 손 등
※ 수만큼 신체 부분 마주 대기
- 엄마(아이)가 마주 대는 신체 부분의 수를 말하면 아이(엄마)는 제시된
  수만큼 신체를 마주 대어본다.
- 예: 두 군데 마주 대기(손과 손 & 발과 발), 세 군데 마주 대기(무릎과 무릎 &
  손가락과 손가락 & 머리와 머리)

손과 무릎이 만났어요!

좋아해! 놀이 토크

1. 좋았던 점

엄마: 놀이에 집중하며, 즐거운 시간을 아이와 함께 할 수 있어서 좋았어요.

아이: 놀이할 때 표정이 웃겨서 재미있었어요.

2. 아쉬웠던 점

　　엄마: 친구들과 같이하지 못해 아쉬웠어요.

　　아이: 오빠와도 같이 놀고 싶었어요.

3. 해보고 싶은 점

　　엄마: 스킨십을 더 많이 할 수 있는 게임이 있으면 좋겠어요.

　　아이: 스카프 매달고 엉덩이 달리기 시합도 하고 싶어요.

언택트 시대에 사는 우리를 응원하다!

아프리카 속담에 '한 아이를 키우려면 온 마을이 필요하다'는 말이 있습니다. 코로나19와 같은 감염병을 예방하고 어려운 상황을 잘 극복하기 위해서는 가정과 이웃 그리고 공공기관이 온 힘을 모아 협력하고 위로하는 것이 필요합니다.

다음은 교육지원청, 유치원, 학부모와 아이가 함께 서로 위로하고 격려해주는 메시지입니다.

아이야,

교실을 가득 채우던 너의 재잘거림, 까르르 복도를 구르던 너의 웃음소리, 새로운 것을 배울 때 빛나던 너의 먹빛 눈망울, 꿈속인 듯 그립구나.

모든 친구와 선생님들이 반갑게 인사하며 함께 놀며 함께 배우는 유치원으로 하루라도 빨리 네가 등교할 수 있도록 최선을 다할게. 집에서 혼자 놀기 지루해도 선생님께서 보내주신 학습꾸러미 잘 활용하며 조금 더 참아 준다고 약속해주렴.

선생님께서 알려주신 손 씻기, 마스크 쓰기도 꼭 지켜 줘.

모두가 건강하게 환한 미소로 함께하는 그 날을 기다릴게.

세종특별자치시교육감 최교진

아이에게

반갑게 안아주고 볼뽀뽀 해주며 나누었던 우리의 인사를 할 수 없다는 얘기에 당황해하던 너의 표정, 늘 친구와 함께 놀았는데 혼자서 놀아야 한다는 말에 의아해하며 불만을 얘기하던 너희 목소리… 이제는 하트 날리기, 배 뽀뽀 등 다양하고 재미있는 방법으로 인사를 나누고 자신의 책상에서 놀이하지만 친구들과 자신의 놀이를 공유하고 또 다른 방법을 찾아 즐기고 있구나! '힘들어요'라는 말보다 '조금만 참아! 괜찮아질 거야.', '이렇게 하면 더 재미있어'라며 위로하고 격려할 줄 아는 아이들로 성장해가는 너희 덕분에 오히려 선생님이 힘을 얻고 있단다. 힘든 상황에서도 즐길 줄 아는 너희가 정말 최고란다. 파이팅!

인천 연학초등학교 병설유치원 방과후교사 장현아

부모님을 응원합니다

자신의 정원에서 뛰놀던 아이들을 내쫓은 동화 속 거인이 외롭고 혹독한 겨울정원에서 벗어나 봄을 되찾고 지저귀는 새들을 만날 수 있었던 것은 아이들에게 정원을 다시 내어주었기 때문입니다. 코로나19로 가정에서 지낼 수밖에 없는 날들을 견디며, 등원수업과 원격수업을 번갈아 하고 있는 우리 아이들에게 부모님은 정원을 다시 거인의 변화와 따뜻한 마음을 느낄 수 있게 하는 정말 좋은 친구이고 선생님이며, 어떠한 대가도 조건도 없이 의지하고 사랑받을 수 있는 유일한 존재입니다. 우리집만의 행복한 놀이정원을 가꾸어주실 부모님들께서 지혜롭고 넉넉한 마음으로 교원들과 마주잡은 손을 놓치지 않고 지속해주신다면 우리 아이들은 어떠한 팬데믹 상황에서도 땅거미가 내려앉아 잠들 때까지 행복감과 성취감을 맛보며 자랄 수 있으리라 확신합니다. 아이들의 아름다운 성장을 통해 가정의 건강과 기쁨, 작은 소망들을 이루는 즐거운 가정 만들어가시길 응원드립니다.

인천광역시교육청 초등교육과(유아교육팀) 장학관 안정은

부모님께

아이의 유치원 등원 준비 대신 현관에 놓인 놀이꾸러미 상차를 가져다 작은 유치원을 시작하셨지요. 유치원 원격수업으로 작은 유치원이 된 가정에서 아이들은 마스크를 벗고 맘껏 소리 내고, 움직이며, 부모선생님의 꾸러미수업으로 추억+1, 사랑+1로 행복하고 안전한 성을 차곡차곡 쌓고 있겠지요.

선생님 되신 부모님! 아이들을 사랑으로 안아주시고, 유치원을 믿고 지원해주셔서 고개 숙여 감사드립니다. 유치원도, 선생님도, 부모님도, 우리 아이들도 모두 처음입니다. 하지만 우린 잘 해내고 있습니다. 함께니까요!

경상북도교육청연수원 교육연구사 정은주

맞벌이 부모님들께

가사만으로도 벅찬데 직장 일까지 하시느라 얼마나 힘드실까 싶습니다. 더욱이 코로나19로 자녀의 교육과 돌봄까지 더해졌으니 무거운 어깨가 매우 아프시리라 생각됩니다.

자녀와 함께하는 시간이 늘어 그동안 잘 알지 못했던 자녀의 장·단점을 알 수 있는 계기가 되었을 것이고, 이 시기를 잘 이기고 견뎌내면 더 아름답고 건강한 자녀로 성장시키기 위한 또 다른 기회라고 긍정적으로 생각하셨으면 합니다.

지루하고 힘든 이 시기가 '이 또한 지나가리라!' ~~~~~

코로나19가 극복될 때까지 가정의 일과 직장 일을 하시는 모든 분께 힘찬 응원을 보냅니다.

인천 화전유치원 원장 장명순

다른 나라에서 온 친구들에게

애들아, 너희에게는 너무 춥기도 하고, 너무 덥기도 한 한국에 와서 잘 적응해줘서 고마워.

방학이면 가족들을 만날 수 있다며 기다리던 너희인데 이번 방학은 짧고도 아쉬웠지? 코로나 바이러스로 인해 지금은 가족들을 만날 수 없지만, 건강하고 즐겁게 지낸다면 금방 만날 수 있을 거야.

코로나 바이러스를 이겨내는 그 날까지 안전하고 즐겁게 지내보자! 선생님과 친구들이 함께할게♡

세종 교동초등학교 병설유치원 교사 배지은

할머니, 할아버지께

엄마, 아빠의 빈 자리를 따뜻한 사랑으로 채워주시는 전국의 할머님, 할아버님!

정말 감사합니다!!

코로나19로 모두가 힘든 시기에 누구보다도 더 힘드실 것 같아요. 그래도 밝고 순수한 우리 친구들 곁에서 늘 포근한 가슴으로 안아주시고 지켜주셔서 우리 친구들이 잘 자라고 있답니다.

늘 건강하시고 행복만 가득하세요.

사랑합니다. ♡♡

서해 최북단 백령도 옆 작은 섬 대청도에서

인천 대청초등학교 병설유치원 교사 전지혜

원장님께

유치원은 우리 아이에게 또 다른 우주이며 부모가 된 우리에겐 새로운 학교입니다. 그런데 예고 없이 코로나19라는 태풍이 찾아왔습니다. '뭘 할 수 있을까? 어떻게 기다려야 할까?' 걱정만 가득한 분위기 속에서 긴급돌봄 가정에게는 안심을 선물 받았습니다. 고민하고 살피는 원장 선생님들 덕분입니다.

사랑하는 친구들과 함께 "안녕하세요. 선생님!" 인사로 시작하는 그날을 그려봅니다. 파란 하늘, 푸른 숲이 그렇듯 늘 같은 자리에서 아이들 먼저 생각하시는 원장 선생님이 계시니까요. 감사합니다.

세종 새뜸유치원 신해인 아빠 신은택

원감님께

코로나19 사태로 모두가 힘이 쭉쭉 빠졌던 나날들이었죠.

쉴 새 없이 날아드는 공문, 시시각각 변하는 지침들 속에서 교사와 아이들의 안전, 부모님들 마음 안정까지 모두를 지켜주기 위해 두 발 벗고 이리저리 뛰시던 원감 선생님을 보며 유치원 교사로 내가 할 수 있는 모든 것을 다시 체크하고 실행해보는 계기가 되었어요.

시간이 지나 2020년을 돌아보면 어렵고 힘든 상황 속에서 원감 선생님의 진심이 담겼던 힘이 되어주는 따뜻한 말 한마디, 잘하고 있다는 손짓과 믿음 가득한 미소가 제 기억의 풍선 속에서 반짝일 것 같아요. 감사합니다.

충남 가람유치원 교사 김은샘

선생님께

함께 노는 것이 곧 삶이며 배움인 우리 유아들에게 코로나19로 인한 사회적 거리두기는 참으로 고통스러운 일입니다. 아이들 곁에서 어려움을 지켜보시는 선생님들의 걱정에 비할 바는 아니지만 우리 새싹들의 배움과 성장에 지체라도 생기는 것은 아닌지 노심초사 걱정입니다. 다행히도 대면 수업의 새로운 방법을 찾고 온라인 학습자료를 만들고 원격수업과 학부모 소통에 열심인 선생님들이 계서 조금이나마 걱정을 내려놓습니다.

선생님들이 계셔서 참 다행입니다. 선생님들께서 하시는 일 조금이라도 어려움이 없도록 최선을 다해 지원하겠습니다. 선생님! 고맙습니다.

세종특별자치시교육감 최교진

선생님께

소리 없는 두려움으로 어둠처럼 밀려온 코로나19로 인해 정말 많은 일상의 변화가 생겼네요. 누구보다도 아이들에게 가을하늘만큼 청량하고 파란 꿈을 심어주는 선생님의 소중함을 새삼 느낍니다. 전혀 예상치 못한 환경의 변화에 선생님도 새로운 적응과 아이들 교육문제에 많은 생각에 묻혀 있으리라 생각해요. 하지만 선생님의 큼지막한 수고와 초롱한 눈망울로 응원을 하는 아이들, 부모들의 애정 어린 격려는 가장 효과적인 코로나19 백신이 될 것이 확실해요.

선생님! 아이들의 에너지 넘치는 함성과 부모들의 열정 가득히 응원합니다. 코로나19를 먼 세상으로 보내고 예전보다 더욱 애정 어린 유치원 생활로 돌아가도록 우리 모두 한마음 한뜻으로 파이팅해요!

인천 소명유치원 강하라 엄마 성하연

예비 교사에게

훌륭한 유아 교사의 꿈을 꾸고,

열심히 노력하고 있는 예비 선생님들.

감염병의 위험이 도사리는 교육 현장에 대해,

기대와 설렘과 함께 불안과 혼란스러움이 있을 것으로 예상됩니다.

하지만 변화된 환경에 발맞추어 노력하고 있는

예비 선생님들의 모습에서 유아교육의 희망을 느낄 수 있습니다.

유아와 함께 할 행복한 날을 기대하며,

전문성을 갖추기 위한 배움에 더욱 정진하길 진심으로 응원하겠습니다.

한국교원대학교 유아교육과 교수 김경철

선생님께

코로나때문에 유치원에 못가니까
선생님이 보고싶었어요 그런데 선생님들이
연극하고 노래부르는영상이 재미있었어요
집에서 많이 봤어요
유치원 갈때 같이 놀아주셔고맙습니다
아프지말고 힘내세요
                소명유치원 조은서올림

인천 소명유치원 조은서 어린이

학부모님께

모두의 예상보다 더 길어진 코로나19 상황 속에서 가정에서 하루 종일 아이들을 챙기느라 지친 학부모님들과, 불안한 마음을 떨쳐내며 사랑스러운 아이를 돌봄 교실에 맡긴 채 출근을 해야만 하는 맞벌이 학부모님들… 모두 힘든 시간을 보내고 있으리라 생각합니다. 지금은 모두에게 힘든 시간이지만 우리 아이들이 커서 '그때 우리 모두가 함께 이겨냈어' 라고 떠올릴 수 있기를 희망합니다.

이 순간에도 우리 아이들을 지켜주고 계신 부모님들을 응원합니다! 저희도 부모님의 마음으로 최선을 다해 아이들을 지키겠습니다.

인천 영보유치원 교사 조주영

보고쉬은 친구들에게
얘들아너희들을 유 치 원
에서 못 만 ♥나네까뭐 하 고 지 내
는 지 궁 금 해. 빨리 코 로 나 가
끝 나 서 같 이 재 미 있 게
놀 면 좋 겠 어. 우 리 모 두 건 강
하 게 지 내 자! 안 녕~
가 득 유 치 원 이 가 윤

♥♥♥ ♥ ♥♥♥♥

세종 가득유치원 이가윤 어린이

행정실 선생님들께

유치원, 생애 최초 학교! 아이들의 웃음소리, 와글와글 떠드는 소리가 활력이 되는 곳.
'조용한 유치원'으로 시작할 수밖에 없었던 2020학년도! 그런 가운데 분주했던 곳,
'유치원 행정실'이었습니다.

방역소독, 긴급돌봄, 원격수업, 놀이꾸러미, 온오프 병행수업 등등 모두에게 생소하기
만 했던 이 모든 과정들이 쌓이고 보니 아이들과 유치원을 연결하는 소중한 고리가 되
었습니다.

'언텍트 시대'라 말하지만, 아이들이 유치원에 나오는 만큼 분주했던 '행정실'의 노고
에 감사드리며 '언텍트 시대에 컨텍트를 가능하게 해준 마술사'라 불러드리고 싶습니
다. 감사합니다.

세종특별자치시교육청 장학관 박수미

방과후과정 선생님께

늘 사랑의 눈빛으로 아이들을 바라봐주시는 방과 후 선생님들!

아이들의 이야기에 귀 기울이고 눈높이에 맞게 놀아주신 덕분에

우리 아이들이 온종일 행복한 유치원 생활을 하고 있어요.

유치원에 더 오래도록 있고 싶다는데 어쩌지요?

하루 종일 마스크를 끼고 생활하는 아이들의 건강도 배려해주셔서 감사드립니다.

가정처럼 편안하게 방과 후 과정 시간을 보낼 수 있는 건

모두 선생님의 노고 덕분입니다.

방과 후 과정 선생님들을 응원합니다!

세종 가득유치원 원장 류애희

돌봄 선생님께

지난봄, 겨우내 꽁꽁 얼어붙은 공원 꽃밭에 단단한 땅을 뚫고 연둣빛 새싹이 얼굴을 내밀었습니다. 따스한 볕과 토닥토닥 내리는 봄비 덕에 새싹은 어느새 노란 꽃을 피워냈습니다. 수선화입니다. 수선화에 담긴 꽃말답게 신비롭고 고결해 보입니다.

지난 3월부터 지금까지, 누가 알아주지 않아도 또 들여다보지 않아도 지금의 자리를 묵묵히 지켜주시는 여러분들은 수선화처럼 고결하신 분들입니다, 매일 따뜻한 온기로 나를 내려놓고 나보다 더 작은 아이들을 위해 긴 시간동안 사랑과 인내로 수고해주신 선생님들 진심으로 존경을 표합니다, 여러분들 덕분입니다

인천광역시교육청 유아교육진흥원 교사 장미선

영양사, 조리사선 생님께

음식 만들어 주셔서고맙
습니다. 음식 비밀 화게
주셔서 감사합니다.
코로나걸리지 말고행복하게
사세요. 코로나걸리면 마음이
아 파져요.

소명유치원 이연지올림

인천 소명유치원 이연지 어린이

교육지원청 관계자에게

코로나19라는 회오리가 몰아쳐 우리 모두의 삶의 방식을 바꾸어버렸습니다.

낯설고 새롭게 등장한 언택트, 뉴노멀, 포스트코로나 등 익숙하진 않지만,

교육 현장에서도 적응하고 있는 단어들입니다.

모두가 낯설고 어려운 환경에서도 우리에게 희망이 있는 건

그 안에서도 우리의 아이들이 성장하고 있다는 것입니다.

언제나 하나 된 모습으로 우리는 극복해나갈 수 있습니다.

힘내세요!!

(사)인천유아교육자협의회 이사장 박진원

☆ 영양사, 조리사선생님께께

저희들에게 건강한 음식 만들어주시고
코로나막는 방법 알려주셔서 감사합
니다. 제가 맛있게 ☆ 잘먹을게요.
영양사, 조리사 선생님도 건강하시고
코로나 걸리지 마세요. ☆
걸리면 아프고 속상하니까요.

☆ 소명유치원 김규한올림

인천 소명유치원 김규한 어린이

의료진과 방역 관계자분들께

코로나19 확산방지를 위해 힘쓰시는 의료진 및 방역 관계자 분들의 노고로

우리의 생명이 안전하게 보호되고 있음에 깊은 감사의 뜻을 표합니다.

각 가정의 안위와 아이들의 복지를 책임지고 있는 교육자로서

의료수칙 준수를 교육하고 실천하며,

많은 분의 노고가 헛되지 않도록 함께 노력하겠습니다.

아울러 대한민국이 하나가 되어 전 세계에 닥친 이 위기를 극복하고

우리의 일상과 안정을 속히 되찾을 수 있기를 바랍니다.

인천 너랑나랑 어린이집 원장 이선아

의료진님들께
코로나 때문에 고생 하셔서
마음이 속상합니다
힘내시고 건강하세요

코로나가 없어졌음 좋겠어요
그때까지 응원 김민서 올림
하겠습니다.

인천 영보유치원 김민서 어린이

크리스천을 위한 긍정의 훈육

제인 넬슨, 메리 휴스, 마이크 브록 지음 / 안미영 옮김 / 김성환 감수

성경적 지혜를 아들러와 드라이커스의 입증된 이론을 바탕으로 하는 '긍정의 훈육' 과 엮어낸 이 책은 자녀를 훌륭하게 키우고자 하는 부모들에게 현실적이며 가치 있는 가이드를 제공한다.

초등교육실습운영시스템

김동민, 고은별, 김호정, 노진영, 안나, 정호중, 정유진 지음

교육실습생과 지도교사에게 꼭 필요한 교육내용과 효과적인 교육 방법, 지원체계 등을 통합해 '교육실습운영시스템' 을 체계화했다. 교육실습에 필요한 운영 서식과 지도안, 큐시트도 수록했다.

격려수업＋격려수업 워크북

김성환 옮김

새로운 사람처럼 생각하고 느끼고 행동하게 하는 아들러 심리학에 기반한 8주간의 '격려 상담' 당신이 겪고 있는 문제와 관련된 정보를 찾고 그로부터 그 문제를 해결하도록 돕는다.

그림책 생각놀이

그림책사랑교사모임 지음

기억 놀이에서 창의 놀이까지 그림책을 읽고 나서 할 수 있는 생각놀이를 소개한다. 그림책을 처음 접하는 사람도 쉽게 이해하고 활용할 수 있도록 친절하게 안내한다.

그림책, 교사의 삶으로 다가오다

김준호 지음

저자는 개인의 삶과 교사로서의 삶을 그림책을 통해 돌아보고 성찰한다. 학교와 교실에서 필요할 때마다 공감과 위로, 지혜와 통찰을 준 그림책이 자신에게 가져온 변화를 나눈다.

민주학교란 무엇인가

이대성, 이병희, 이지명, 이진희, 최종철, 홍석노 지음

민주학교의 길을 먼저 걸어간 저자들이 민주적인 구조와 과정을 실천하는 학교문화 속에서 민주시민교육을 핵심 교육과정으로 민주시민을 양성하는 '민주학교' 가 무엇인지를 보여준다.

그림책 토론

권현숙, 김민경, 김준호, 백지원, 조승연, 조형옥 지음

누구나 쉽고 재미있게 생각과 감정을 나눔으로써 토론이 재밌어지고, 수업이 즐거워진다. 책 선정에서 읽는 방법, 실제 수업 이야기까지 그림책 토론을 해보고 싶은 교사를 위한 친절한 가이드

나랑 너랑 우리랑

박광철, 박현웅, 임대진, 공창수, 황정회, 정유진 지음

건강한 관계는 평화롭고 행복한 교실의 시작과 끝이다! 첫 만남의 순간부터 헤어짐의 순간까지 일 년 동안 학급에서 건강한 관계를 맺고 유지하고 회복하는 데 도움이 되는 활동을 소개한다.

서준호 선생님의 토닥토닥

서준호, 노동현 지음

"괜찮아요." "완벽하지 않아도 돼요." "잘하고 있어요." 교실과 학급, 수업, 학생, 학부모, 학교 내 관계 그리고 업무까지. 고민하고 아파하는 교사들에게 건네는 따뜻한 위로와 부드러운 조언.

토론이 수업이 되려면

경기도토론교육연구회 지음

교실에서 가장 많이 활용되는 찬반 토론, 소크라틱 세미나, 하브루타, 에르디아 토론, 그림책 토론의 이론적 토대와 수업 적용 방법을 여러 교과의 사례를 통해 보여준다.

그림책 학급운영

그림책사랑교사모임 지음

평화로운 학급을 위해서는 학급 구성원 간의 관계가 중요하다. 관계를 형성하려면 대화가 이루어져야 하는데, 그러려면 먼저 마음을 열어야 한다. 이 책은 그 해답으로 '그림책'을 제시한다.

회복적 생활교육으로 학급을 운영하다

강현경, 김승아, 김준호, 노슬기, 박수미, 이현주, 전안나, 한득재 지음

학급운영과 생활지도를 '회복적 생활교육'의 철학과 관점에서 풀어낸 책이다. 일 년 동안 학급을 운영하면서 적용할 수 있는 구체적인 시나리오와 다양한 사례를 담고 있다.

교육학 콘서트

밥 베이츠 지음 / 사람과교육 번역연구팀 옮김

소크라테스, 플라톤, 아리스토텔레스에서 듀이, 비고츠키, 몬테소리, 가드너 등 고대에서 현대에 이르는 백여 명의 사상가의 이론과 모델을 구체적인 도표와 다양한 사례로 쉽게 이해할 수 있다.

리질리언스 다시 일어서는 힘

천경호 지음

현직 교사인 저자는 '어떻게 하면 아이들이 역경을 성장의 밑거름으로 삼도록 도울 수 있는지', 아이들에게 리질리언스를 키워주려면 가정과 사회가 어떤 노력을 해야 하는지 이야기한다